Le nouveau monde des infostructures

Michel Cartier

Le nouveau monde des infostructures

Fides

Remerciements

Je remercie plusieurs personnes qui ont contribué à la rédaction de ce dossier: Jacques Dupont, Pierre L. Harvey, Yves Leclerc, Philippe Le Roux, Jean Lessard et Louis-Claude Paquin. Cette collaboration fut réalisée dans le cadre du Réseau de veille sur les technologies d'information (RVTI).

Toutes les marques citées dans cet ouvrage sont déposées par leurs propriétaires respectifs.

Maquette, typographie et montage:
DÜRER *et al.* (MONTRÉAL)

Données de catalogage avant publication (Canada)

Cartier, Michel
Le nouveau monde des infostructures

ISBN 2-7621-1883-2

1. Autoroutes électroniques.
2. Technologie de l'information – Aspect social.
3. Information, Réseaux d'.
4. Autoroutes électroniques. Aspect économique.
I. Titre.

ZA3225.C37 1997   004.6'7   C96-941466-9

Dépôt légal: 1ᵉʳ trimestre 1997
Bibliothèque nationale du Québec
© Éditions Fides, 1997.

Les Éditions Fides bénéficient de l'appui du Conseil des Arts du Canada et de la Société de développement des entreprises culturelles du Québec (SODEC).

1

Les mythes et les réalités

Lorsqu'un mot devient à la mode, «autoroute électronique» par exemple, il devient *élastique*, c'est-à-dire qu'il décrit un territoire imprécis parce que trop nouveau. Mais lorsqu'on veut développer concrètement une industrie ou un marché, comme c'est le cas présentement, un mot ou un concept ambigus peuvent devenir dangereux.

Parce que la plupart des décideurs se sont surtout habillés jusqu'à maintenant dans les boutiques du «prêt-à-porter» médiatique, le temps est venu de substituer quelques idées aux images toutes faites.

Clichés...   *En réalité...*

Les coûts de développements des autoroutes sont énormes.

> *Les coûts de démarrage actuels s'étaleront sur les cinq ou sept prochaines années et continueront encore longtemps en ce qui concerne le contenant; cependant, pour calculer les coûts réels, il faut ajouter les coûts des contenus qui ne sont guère comptabilisés actuellement.*

Le succès des autoroutes dépend de l'importance des fonds consentis à leur construction.

> *Leur succès dépend de la qualité des contenus sur le plan international et de l'intégration verticale des alliances qui commencent à se développer.*

Les bénéfices seront énormes pour les promoteurs.

> *À la condition que les contenus soient acceptés par les diverses clientèles de consommateurs.*

Dans un contexte de mondialisation...

> *Il s'agit d'un contexte de continentalisation (ALENA, Union européenne, etc.), la mondialisation ne viendra que plus tard après la phase de continentalisation.*

L'analphabète de demain est celui qui ne connaîtra pas le langage informatique.

> *L'infopauvre de demain est celui qui ne connaîtra pas le langage médiatique.*

Les contenus qui circuleront seront de type multimédia.

> *Les contenus seront traités et diffusés de façon plurimédia.*

Les autoroutes développent des espaces virtuels.

> *Beaucoup d'applications relèveront d'un milieu géographique donné.*

Les futures autoroutes requièrent une bande passante plus large.

> *Tous les services ne requièrent pas une grande largeur de bande.*

C'est un univers sans papier (*paperless office*).

> *C'est un univers avec moins de papier* (less-paper office).

Un **émoticon** est une icône placée par l'émetteur à la fin d'un message circulant sur une inforoute, afin d'indiquer ses sentiments au récepteur du message (contraction des mots «émotion» et «icône»). En anglais, on utilise le mot «smilies».

2

Nous vivons une rupture

Dans ce chapitre...
>> Les trois grandes civilisations
>> Les NTIC et les inforoutes, véhicules de la rupture
>> Vers une société de l'information

Ce livre est inspiré par la première question que me posèrent certains membres du comité Théry, le comité chargé de préparer la mise en place des inforoutes en France: «Sommes-nous en continuité ou en rupture?» Selon la réponse, les stratégies ne sont pas les mêmes. Par exemple, si notre monde ne fait qu'évoluer normalement, c'est-à-dire en continuité avec le passé, nous devons prendre certaines décisions (déréglementer les télécommunications, etc.); par contre, si nous prévoyons que dans une décennie notre monde ne sera plus tout à fait le même, des décisions beaucoup plus fondamentales devront être prises (changer notre système scolaire par exemple). Parce qu'il n'y a pas de précédent pour nous guider, plusieurs groupes de réflexion pensent que le passage qui s'amorce annonce une *rupture* avec le passé. L'histoire a déjà connu plusieurs de ces ruptures: en Chine, au vie siècle avant J.-C. (Lao-Tzeu et Confucius), en Grèce (l'apparition des Cités et des Philosophes), en

Arabie (l'Hégire), en Europe à la fin du xve siècle (la Renaissance), etc.

L'intérêt d'une rupture réside dans ses possibilités d'*innovation*. Mais ces phases de transition sont délicates, les décideurs n'ont pas droit à l'erreur et encore moins à la naïveté. Actuellement, les forces de changement qui sont à l'œuvre sont difficiles à gérer, non seulement parce qu'elles sont nouvelles, mais aussi parce qu'elles opèrent à l'échelle planétaire et que leur dynamique de bouleversements l'emporte sur les perspectives de stabilisation. La mondialisation exigera un degré beaucoup plus élevé d'intégration fonctionnelle entre les activités technologiques, sociales, économiques et financières.

Les trois grandes civilisations

Plusieurs auteurs s'entendent pour décrire les trois grandes civilisations que l'Occident aurait vécues, même si les noms utilisés pour les décrire diffèrent quelque peu.

	Ire civilisation	IIe civilisation	IIIe civilisation
Alvin Toffler	Première vague agraire marquée par l'occupation	Deuxième vague industrielle marquée par le mode de production de masse	Troisième vague marquée par l'information
Peter Drucker	Première rupture (xiie s.) Deuxième rupture (xve s.)	Troisième rupture (xviie s.)	Quatrième rupture (1960)
Régis Debray	Logosphère: ère de l'idole (voyance)	Graphosphère: ère de l'icône (vision)	Vidéosphère: ère de l'image (visionnage)
Marshall McLuhan	Galaxie traditionnelle	Galaxie Gutenberg	Galaxie Marconi
Luc de Brabandere	Aqueduc, support de la société agraire	Oléoduc, support de la société basée sur l'énergie	Infoduc, support de la société de l'information

Joël de Rosnay	La révolution agricole: les énergies renouvelables	La révolution industrielle: les énergies concentrées	La révolution de l'information: les infoénergies
Fernand Braudel	Savoir faire	Savoir produire	Savoir être

Dans le passé, les ruptures ont été marquées par des sauts de conscience, chaque étape représentant un bond en qualité et en quantité de l'information, des machines à communiquer et de leurs utilisateurs: une média-morphose[1]. Le passage d'une étape à une autre est rendu possible par le développement de nouveaux outils médiatiques, ou *contenant*: l'écriture, l'imprimerie et les NTIC dont font partie les inforoutes. Ces nouveaux outils ont généré trois codes de communication, c'est-à-dire des moyens de médiatisation des *contenus*, qui à leur tour ont modifié les modes de pensée de leurs utilisateurs:

	Contenant	Contenu
Ire civilisation	écriture	code alphabétique
IIe civilisation	imprimerie	code typo-graphique
IIe civilisation	NTIC - inforoutes	code médiatique

Si Gutenberg a fait de chacun de nous un lecteur et Xerox un éditeur, le micro-ordinateur nous transforme en producteurs d'informations, et les médias interactifs, en consommateurs[2].

---

1. Expression de Joël de Rosnay dans *L'homme symbiotique*.
2. Inspiré par McLuhan.

Les NTIC et les inforoutes, véhicules de la rupture

Les NTIC (ou nouvelles technologies d'information et de communication), et les inforoutes en particulier, seront les véhicules de l'actuel passage qui s'amorce, comme l'alphabet et l'imprimerie ont été des véhicules de rupture très importants dans le passé. Il y a un passage d'un monde à un autre quand l'espace et le temps se modifient au point de modifier la culture; et, au fur et à mesure que le cycle de ces mutations s'accentue dans notre histoire, l'espace et le temps semblent se contracter. Jusqu'à présent, l'histoire s'était déroulée dans des temps et des espaces locaux: cités, régions, États-nations. Dorénavant, notre histoire se jouera dans une mondialisation, c'est-à-dire dans une virtualisation, car ce qui se mondialise effectivement par les inforoutes, c'est le temps. «Une société qui transforme comment elle compose avec le temps et l'espace apportera des changements révolutionnaires à la façon dont elle est structurée et fonctionne[3].»

À chaque rupture, les nouveaux outils dont se dote la société pour se faciliter ce passage modifient à leur tour le mode de pensée de ses membres. «*We shape our tools and afterwards our tools shape us*[4].» Ce ne sont pas les nouveaux outils qui sont responsables des changements sociaux, comme on le pense généralement, mais les changements sociaux et démographiques qui poussent une société à un moment donné à créer de nouveaux outils lui permettant de répondre aux défis qu'imposent des changements importants: «La coévolution entre la société et ses environnements fait surgir des artefacts qu'elle crée pour s'adapter[5].» Exemples de changements sociaux et démographiques actuels:

---

3. Harold A. INNIS.
4. Marshall McLuHAN.
5. Joël de ROSNAY dans *L'homme symbiotique.*

> l'arrivée dans la vie active de millions de jeunes familiers avec les NTIC;

> l'arrivée d'une grande quantité de micro-ordinateurs dans les foyers;

> la convergence des technologies avec l'image et l'interactivité;

> la surcharge informationnelle, etc.

Aujourd'hui, nous assistons à la déconstruction de l'État-nation comme expression interne et externe d'identité, à la fois par le haut (les grands marchés communs et les méga-majors) et par le bas (les nationalismes). Le défi du XXIe siècle sera de faire la synthèse entre l'unité des grands ensembles (ALENA, Union européenne, GATT, OMC, OUA, APEC, ASEAN[6], etc.) et le foisonnement des minorités qui veulent affirmer leur identité. Lors de la réunion du G7 portant sur les inforoutes (à Bruxelles en février 1995), les pays industrialisés ont reconnu que les NTIC et les inforoutes devenaient pour eux un domaine critique où leurs *besoins de survie* et de *modernité* s'affirmaient. En effet, l'une des ruptures dans la structure de notre civilisation se situe actuellement dans la typologie de l'intelligence: une délocalisation extrême du savoir et de l'intelligence grâce à la décentralisation que permettent ces inforoutes que les institutions utilisent pour se reconstruire.

Partout sur la planète, la promesse d'un futur meilleur s'est effondrée. Le siècle agonise, nous vivons une sensation d'essoufflement; notre société, tous secteurs confondus, accuse aujourd'hui la fatigue. Comme les pièces d'un moteur usé, les structures résistent mal à la grande rapidité à laquelle on les fait tourner. Il y a

6. Accord de libre-échange nord-américain, Accord général sur le commerce et les droits de douane, Organisation mondiale du commerce, Organisation de l'unité africaine, Forum de coopération économique Asie-Pacifique, Pacte asiatique.

rupture de l'équilibre qui unissait jusqu'alors les gens (le travail), l'argent (le capital) et l'énergie (les ressources et maintenant l'information). L'explosion des inforoutes est le signe d'une étape décisive pour le monde arrivé à un carrefour où s'enchevêtrent des données sociétales, politiques, économiques, technologiques, etc. L'État, le politique et l'économique n'opèrent plus dans les mêmes espaces ni dans les mêmes temps qu'auparavant.

À la fois support et conséquence de la société qui les utilise, les inforoutes deviendront les haut-parleurs de cette rupture qu'elles accéléreront en l'intensifiant pour le meilleur ou pour le pire. Elles sont déjà devenues un événement mondial; la vision d'un réseau planétaire, le *Net*, rejoint d'autres convergences holistiques comme le village planétaire de Marshall McLuhan, le *Spaceship Earth* de Buckminster Fuller, l'hypothèse de Gaia de James Lovelock, toutes inspirées par la noosphère de Pierre Teilhard de Chardin. Elles deviennent aussi une affaire d'État, car elles modifieront les équilibres stratégiques, donc les relations de puissance. Elles deviennent un événement «porteur» à cause de la conjugaison de trois types de facteurs:

> ➤ des facteurs *techniques* ponctuels, tels Internet, Windows95, Web, etc.;

> ➤ des facteurs *économiques* à moyen terme comme les coûts de moins en moins élevés du multimédia et la création d'alliances entre certaines entreprises;

> ➤ des facteurs *sociétaux* à long terme, comme le développement d'une proximité virtuelle ou l'instantanéité des communications.

Plusieurs schémas ont été développés à partir de l'un des quatre modèles suivants.

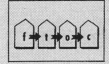

La chaîne des acteurs des technologies et des marchés de l'information comprend l'ordre séquentiel suivant: les **f**ournisseurs de contenus, les **t**ransporteurs de ces contenus (entreprises de téléphonie, de câblodistribution ou de satellites), les **o**pérateurs de passerelles, et finalement les **c**onsommateurs.

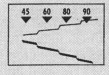

On peut distinguer quatre vagues dans le développement des technologies de l'information.

1945 émergence des mass media;

1960 commercialisation des ordinateurs centraux et de la télévision;

1980 arrivée des micro-ordinateurs et du vidéo-texte;

1990 l'émergence de l'électronique grand public.

Le dynamisme du développement des technologies et des marchés a épousé la forme d'une spirale de l'offre et de la demande s'auto-alimentant à partir de ses étapes précédentes.

La société tertiaire comprend trois pôles: **T**echnologique, **É**conomique et **S**ociétal. Aucun des trois pôles ne peut être prédominant.

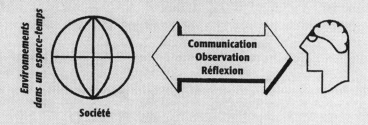

Pour vivre, l'homme doit constamment communiquer, c'est-à-dire échanger des informations avec une société composée d'environnements divers. Pour vivre en société, les hommes doivent donc apprivoiser des environnements communs grâce aux signes, images et symboles, c'est-à-dire aux informations qui les représentent et facilitent leur utilisation.

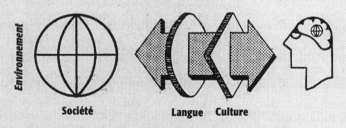

La langue et la culture sont des grilles d'analyse filtrant les liens entre la pensée d'un groupe d'êtres humains et leurs différents environnements: ces deux grilles (ou systèmes) expliquent les relations qui existent entre un groupe particulier et ses environnements.

Le passage d'une civilisation à une autre est annoncé par l'apparition de paradigmes dans la société. Plusieurs auteurs identifient de nombreux passages ou paradigmes technologiques, économiques et sociétaux, de l'ancienne société vers la nouvelle. L'importance de ces passages indique la rupture que nous vivons.

Un paradigme est une nouvelle façon de voir ou d'interpréter une situation. Il surgit quand d'importantes mutations (une nouvelle masse critique, des apports externes ou des influences majeures, par exemple) exigent un nouveau cadre de pensée capable d'expliquer cette nouvelle réalité.

TECHNOLOGIQUE

Analogique	VERS	numérique
Traitement des données	VERS	traitement de l'information
Machine à calculer	VERS	machine à communiquer
Logique de fonctionnement	VERS	logique d'utilisation
Informatique pure et dure	VERS	électronique grand public
Grande quantité de données brutes	VERS	compression de données
Micro-ordinateur seul	VERS	réseau de réseaux
Téraflop (puissance des systèmes)	VERS	gigabit (performance des réseaux)
Traitement par batch/paquet	VERS	traitement par objet/parallèle
Multimédia	VERS	plurimédia
Support papier	VERS	support électronique interactif
Document statique	VERS	document dynamique et multimédia
Surcharge informationnelle	VERS	agents intelligents

ÉCONOMIQUE

Contenant	VERS	contenu
Stratégie de concurrence	VERS	stratégie de convergence
Quelques utilisateurs experts	VERS	grand nombre d'usagers novices
Groupes géographiques	VERS	groupes virtuels
Cost-sensitive	VERS	value-sensitive
Paperless office	VERS	lesspaper office
Technological push	VERS	demand pull ou social pull
Économie de produc. de masse	VERS	économie de la connaissance
Marché basé sur l'offre	VERS	marché basé sur la demande
Marchés nationaux	VERS	marchés continentaux
Création - production - diffusion	VERS	création - diffusion - production

SOCIÉTAL

Société manufacturière	VERS	société de l'information
Cultures nationales	VERS	cultures métissées
Masses de spectateurs	VERS	fragmentation en groupes
Rareté de l'information	VERS	abondance de l'information
Hiérarchies (approche verticale)	VERS	réseaux (approche horizontale)
Representative Democracy	VERS	Participatory Democracy

Vers une société de l'information

Les pays industrialisés semblent se diriger collective-
ment vers un nouveau type de société de l'information,
aussi appelée société de l'imagination ou société du savoir.
En général, nous savons que pour vivre l'être humain
doit constamment communiquer, c'est-à-dire échanger
des informations avec une société composée d'environnements divers situés dans un espace et un temps donnés. Il en arrive même à constituer dans son cerveau un
modèle de cette société sous la forme d'une construction
de l'esprit, construction interprétée par sa langue et sa
culture. Le vrai pays que nous habitons est l'imaginaire,
et la culture est sa frontière. Si ce modèle change,
comme cela semble être le cas présentement, la langue et
la culture de ses membres seront modifiées par les outils
de cette rupture, outils associés avec un gain de productivité et une «nouvelle frontière».

Dans un message, l'information est plus que
ce qui est perçu comme tel, c'est le *matériau qui sert à
développer la société*. L'information précède tout, elle est
le ciment qui tient ensemble les principaux éléments qui
permettent à notre société d'évoluer: culture, langue,
éducation, économie, etc. C'est l'information qui rend
possibles l'établissement des consensus nécessaires à la
démocratie, l'implication des citoyens via leurs groupes
d'intérêts ou le développement de projets communs de
société. C'est elle qui insère les micro-changements de
comportements dans la trame des rapports quotidiens
entre les êtres, rendant possibles les mutations et les
ruptures parce qu'elle modifie leur mémoire collective.

Dorénavant, nous allons vivre dans une société de l'immatériel, où l'information, la connaissance
et le savoir seront véhiculés par des bits électroniques.
«La plus grande crise qui menace la civilisation moderne
sera la façon de transformer l'information en connaissance structurée[7].» Dans ce type de société, l'informa-

---

7. Carlos FUENTES.

tion ne relève plus d'un domaine spécialisé, elle devient une ressource stratégique de base pour l'ensemble de la société, le nouveau centre de gravité du système socioéconomique. L'information deviendra, en même temps, un phénomène **économique** (*la nouvelle sera une marchandise*), **technique** (*sa teneur et sa forme changeront avec la nature du médium*), **social** (*elle se rapportera aux groupes de destinataires*), **politique** (*elle impliquera des rapports de force*), et **culturel** (*elle se référera à une symbolique sociale déterminée*). Tous les débouchés importants sont désormais liés à son accès et à son utilisation: les nouvelles machines qui apparaissent actuellement dans notre société sont essentiellement des machines à communiquer dotées d'une accessibilité plus rapide et moins coûteuse qu'auparavant créant un **bit bang**. Il faut désormais analyser l'information comme un phénomène à la fois économique, technique, social, politique et culturel, et la société de l'information comme une société de l'**industrialisation** de l'information.

Les facteurs de la rupture

Dans une société de l'information, les NTIC font surgir plusieurs facteurs techniques et économiques responsables des passages qui modifient notre société.

Le numérique. — Le numérique est devenu le langage commun de tous les acteurs de l'industrie. C'est la capacité qu'ont les systèmes informatiques et télématiques d'éditer et de diffuser une information sous la forme d'une suite de bits. C'est une sorte d'«esperanto» pour les machines à communiquer qui diminue considérablement les coûts de traitement des contenus.

Dans une éventuelle société de l'information, la culture née du numérique sera un mode de pensée nouveau.

Le réseau de réseaux. — Les inforoutes sont devenues un réseau de réseaux qui communiquent entre eux par lignes téléphoniques, câbles coaxiaux, fibre optique et liaisons hertziennes, reliant entre eux divers éléments: appareils, protocoles, services, contenus, etc. Aujourd'hui, les inforoutes ne surgissent pas du néant mais s'appuient à la fois sur des infrastructures déjà créées (réseaux de données, satellites, etc.), des supports connus (fils téléphoniques ou coaxiaux, fibre optique, etc.), des savoirs (numérisation, compression, etc.) et des techniques en cours de développement (ATM, etc.). Ce sont des technologies à la recherche d'applications parce qu'elles se développent plus vite que notre capacité à les utiliser. Les inforoutes sont encore loin de constituer un phénomène de masse a l'échelle mondiale, même si leur potentiel est indéniable. Les inforoutes sont encore loin de constituer un phénomène de masse à l'échelle mondiale même si leur potentiel est indéniable.

«*Infrastructure is like a backbone. Once you have infrastructure, the whole economy follows*[8].» Cette mise en réseau assure avec souplesse, grâce à la multiplicité des itinéraires, la communication entre des consommateurs en un temps réduit, tout en réalisant une économie. Le mot d'ordre des promoteurs semble être *Faster! Smaller! Cheaper!*

L'émergence d'une culture visuelle de masse. — En cent ans, le passage de la lithographie à la photographie, puis au cinéma, à la télévision et aux services électroniques interactifs est responsable de l'émergence d'une culture visuelle interactive. Le cinéma et la télévision avaient déjà amené l'image à l'avant-scène de la culture contemporaine, mais sous la forme d'une diffusion de masse. Les nouveaux médias interactifs imposent de nouveaux outils médiatiques: images écran multimédias, interfaces-utilisateurs, protocoles de navigation, etc. «*We are destined to spend more time reading dynamic electronic documents than static ones*[9].» «*The computer display screen*

8. Ian McCLUSKEY, *Time*, 25 septembre 1995, p. 48.
9. Alan KAY.

will be mankind's new home. If computers are the wave of the future, displays are the surfboards[10].»

Autre défi: autrefois la photographie et le cinéma préservaient la réalité physique des choses, offrant même l'apparence d'immortalité; maintenant, les NTIC transforment ces contacts que l'être humain entretenait avec la réalité. Auparavant, celle-ci n'était pas remise en question; aujourd'hui, avec les images ordinées, le critère de réalité est **ce qui semble** réel et non plus ce **qui est** réel. La culture interactive visuelle développe le règne des apparences. Dans la société de l'image qui est la nôtre, on croit surtout à ce que l'on voit. Quatre techniques sont responsables de l'émergence de cette nouvelle culture visuelle interactive: le numérique, le zapping, l'interactivité et l'hypertexte.

«Une civilisation démocratique ne sera sauvée que si elle fait du langage de l'image une provocation à la réflexion et non une invitation à l'hypnose[11].»

L'interactivité. — L'interactivité qualifie les matériels, les programmes ou les modalités d'exploitation qui permettent des actions réciproques entre l'utilisateur et le système, de telle manière que les opérations se déroulent quasi instantanément d'étape en étape.

On réalise peu que l'élément essentiel des NTIC n'est pas la convergence de l'informatique avec les télécommunications mais la convergence des trois technologies avec l'interactivité. C'est l'interactivité qui modifie l'écran pour en faire un espace de travail, celui-ci devenant une nouvelle composante de l'environnement. C'est elle qui permet aux entreprises d'entrer directement dans le portefeuille du consommateur. C'est encore elle qui permet à celui-ci non seulement d'interagir avec le système mais de le compléter en y ajoutant sa participation. C'est cette interactivité qui métamorphose les

---

10. Ted NELSON.
11. Umberto ECO.

NTIC en systèmes ouverts, c'est-à-dire influencés par la façon dont ils sont utilisés, ce qui est une situation révolutionnaire car on ne sait où celle-ci nous conduira. L'interactivité pose le défi de l'immédiateté d'un temps réel qui semble l'emporter sur l'espace réel. L'élément novateur est la vitesse quasi absolue qui donne à l'utilisateur une perspective du temps réel remplaçant la perspective de l'espace réel découverte lors de la civilisation précédente[12]. C'est l'interactivité qui introduit cette nouvelle forme de perspective qu'est le cyberespace.

Elle naît du mariage de la culture et de la technologie, car plus un système devient interactif, plus il doit épouser la langue et la culture de l'utilisateur. Ainsi, au fur et à mesure de leur développement, les NTIC auront-elles un impact de plus en plus important sur les langues et les cultures des utilisateurs-consommateurs dont le nombre augmente à chaque étape.

La multiplication des machines à communiquer. — Les NTIC se développent à partir de trois technologies initiales: l'audiovisuel, l'informatique et les télécommunications, qui convergent aujourd'hui grâce à la numérisation. Cette convergence accroît sans cesse le nombre d'outils «intelligents», c'est-à-dire interactifs, dans la vie quotidienne, modifiant ainsi les habitudes des utilisateurs et introduisant une électronique grand public. Nous semblons passer de l'ère des gens qui parlaient entre eux à l'ère des machines qui parlent au nom des gens.

La surcharge informationnelle. — Depuis les cinquante dernières années, l'essor des technologies de diffusion a fait croître de façon exponentielle la quantité d'informations disponibles: dans une société industrielle, la quantité d'informations scientifiques et techniques augmente de 13% par année environ, tandis que dans

---

12. Le Quattrocento.

une société de l'information ce rythme passera à plus de 40%. Les NTIC et les inforoutes participent plutôt à la croissance d'un «mur de l'information». Nous passons d'une situation de rareté de l'information à une situation d'hyperabondance, situation qui changera complètement les attentes des consommateurs.

En Amérique du Nord, entre 1975 et 1991, la masse critique d'informations traitées électroniquement augmente tellement rapidement qu'elle donne naissance à une surcharge informationnelle ou «mur de l'information»:

> ≫ le nombre de serveurs passe de 301 à 7637 (facteur de 24);

> ≫ le nombre d'entrées passe de 311 à 6291 (facteur de 20);

> ≫ le nombre de fournisseurs passe de 200 à 2372 (facteur de 12);

> ≫ le nombre de vendeurs (passerelles) passe de 105 à 933 (facteur de 8) chacun vendant plus d'un service.

Une même courbe exponentielle apparaît lorsqu'on analyse le nombre d'utilisateurs des inforoutes; de quelques centaines qu'ils étaient au début, en 1960, ils sont plus de 30 millions en 1994.

Or, ce n'est pas parce que plus d'informations sont disponibles que le citoyen est mieux informé; immergé dans l'océan médiatique des messages il en vient à perdre tout repère. L'accroissement du volume d'informations peut entraîner une réduction du focus, c'est-à-dire créer un «effet de tunnel». L'information souhaitée est souvent difficile à discerner et à obtenir dans la masse des informations disponibles trop variées et disparates, ce qui entraîne un phénomène d'exformation, c'est-à-dire une accumulation d'informations disponibles qui ne sont pas traitées faute de temps et de personnel compétent. Ce raz-de-marée ne rejoint pas toujours les destinataires pour plusieurs raisons.

➤ Non seulement les réseaux ne sont-ils pas accessibles partout, mais lorsqu'ils le sont, ils sont souvent incompatibles, la téléphonie et la câblodistribution, par exemple.

➤ Les sources actuelles d'information ne sont pas toujours crédibles, les mass media en particulier sont souvent perçus comme étant plutôt des amplificateurs de rumeurs.

➤ La capacité d'absorption et d'interprétation de la part de l'utilisateur demeure limitée, en particulier à cause des interfaces plutôt rébarbatives.

➤ Les fonds consacrés au traitement de l'information restent faibles actuellement par rapport à ceux consacrés à la diffusion.

La valeur ajoutée. — Les produits des NTIC et de la nouvelle économie sont dits «à valeur ajoutée». Cette valeur est celle de la connaissance qui intervient dans la transformation des données. Elle a le plus souvent des connotations culturelles importantes: convivialité, agrément d'utilisation, adaptation linguistique ou culturelle, médiatisation de contenus, etc. Dans une société de l'information, la valeur ajoutée se déplace vers les contenus, c'est-à-dire vers l'accès aux ressources: les applications, les services, les programmes, les logiciels et la documentation. Beaucoup d'analystes américains ne voient plus l'aspect manufacturier comme axe principal de la nouvelle industrie mais prévoient plutôt deux axes: un axe de **diffusion** dans lequel on retrouve les appareils et les réseaux et un axe d'**édition** qui comprendrait les contenus (une autre façon de parler contenant et contenu).

La continentalisation et la mondialisation des marchés. — On réalise très peu actuellement que toute cette poussée technologique se fait à partir d'une offensive économique; tous les acteurs œuvrent à la mise en place d'une industrie du contenu qui se mondialisera d'ici le tournant du siècle. La première phase qui a débuté est celle de son organisation continentale (ALENA, GATT, etc.), phase qui précède de quatre ou cinq ans celle de la mondialisation.

Quatre mythes erronés

Certaines croyances semblent acceptées par le milieu, au point que les décideurs s'appuient souvent sur elles pour planifier notre futur. L'analyse de ces mythes, souvent nés de l'exagération des médias, est importante, car ils sont en partie responsables de nos ralentissements actuels, et même de notre rupture.

Les changements sont rapides. — Il est vrai que le matériel et les réseaux connaissent des changements effectivement rapides. En revanche, le domaine du logiciel se développe à un rythme plus lent que prévu, tandis que celui des normes se traîne à pas de tortue. Quant à l'acceptation des systèmes sur le plan socioculturel, c'est plutôt de résistance dont il faut parler. Il y a bien quelques succès ici et là, le baladeur, ou les jeux vidéo et le télécopieur par exemple, mais cette résistance annule actuellement les gains acquis par une technologie galopante.

Les coûts baissent rapidement. — Les coûts des circuits électroniques sont vraiment bon marché maintenant, et ceux des micro-ordinateurs baissent aussi considérablement d'année en année[13]. En revanche, le coût

---

13. Selon la loi de Joyce: *À puissance égale, le coût des ordinateurs chute de moitié tous les dix ans.* Quoique cette situation s'annule, lors de l'achat de l'appareil, par l'obligation d'ajouter des nouvelles «options» et des surplus de mémoire, afin de pouvoir utiliser des logiciels de plus en plus performants.

élevé de la médiatisation des contenus est rarement analysé en profondeur.

La très grande circulation de l'information. — La société actuelle produit et diffuse plus d'informations que toutes les autres sociétés réunies qui l'ont précédée[14]. Mais à cause de la surcharge informationnelle nous nous retrouvons avec des problèmes de surinformation, souvent de désinformation et même d'exformation; seulement une petite partie des informations est finalement accessible à un public restreint et une partie encore plus infime est pertinente.

Le mythe du village planétaire (à la McLuhan). — Le village planétaire créé par les inforoutes est une contradiction majeure par rapport aux notions d'espace et de temps qui sont à la base de notre société. Dans ce village mythique, l'information est déspatialisée et les échanges déterritorialisés au point que la notion d'espace est remplacée par celle d'interface, d'où les postulats de téléservices, de télétravail et de dématérialisation des monnaies. Le mythe que les inforoutes abolissent l'espace (la distance) et fonctionnent en temps réel est faux et dangereux. L'être humain est indissociable de ses relations avec les autres êtres et de son contexte environnemental; on ne peut bâtir une nouvelle société seulement avec des contacts médiatisés.

---

14. Les spécialistes prétendent que la somme des connaissances en l'an 0 de notre ère a doublé une première fois vers 1750, puis une deuxième fois en 1900, puis à nouveau en 1950, puis en 1960, etc. Depuis, la courbe serait exponentielle.

3

Les inforoutes

Dans ce chapitre...
➤ Les définitions
➤ Les trois questions
➤ La métaphore autoroute-inforoute
➤ Les trois types d'inforoutes

L'inforoute est un sujet intangible et immatériel, un concept mobilisateur qui fait image dans notre société, devenant même actuellement un mythe: le mythe d'un **cyberespace** qui donne à l'utilisateur l'impression d'être dans la même chambre que son interlocuteur. Ce mythe est inspiré du roman *Neuromancer* [1]: «*There's some kind of actuel space behind the screen. Some place that you can't see but you know is there.*»

Les gens ont le sentiment que les inforoutes seront la force principale derrière l'essor économique du xxie siècle. En effet, chaque cycle économique est marqué par l'essor d'un propulseur technologique qui tire l'ensemble de la croissance: les chemins de fer vers 1800, l'automobile vers 1900, les services dans les années 1980, les inforoutes à partir des années 1990, etc. Après les deux dernières grandes guerres, la mobilisation écono-

---

· 1. William GIBSON, 1984.

mique dans les pays industrialisés s'est faite autour du développement des autoroutes et des trains. Par exemple, en 1955, le sénateur Albert Gore, père de Al Gore (actuel vice-président des États-Unis), était le promoteur des *interstate highways* qui allaient relancer l'économie américaine après la guerre. Les inforoutes ne sont pas des choses nouvelles, des fragments d'inforoute ont déjà été développés et testés dans le passé. En fait, le démarrage s'est fait avec ARPANET en 1969. Puis est venu Qube à Columbus en Ohio, Viewtron de Knight-Rider et Hi-Ovis au Japon, durant les années 1970, enfin Alex et Télidon au Québec et le Minitel en France durant les années 1980. On calcule que les réseaux actuels d'inforoutes sont le fruit d'un siècle d'efforts. L'imaginaire social construit autour des inforoutes est actuellement beaucoup plus important que la réalité de leur mise en application; les inforoutes demeurent un objectif lointain même si nous franchissons en ce moment une étape importante.

Dans cette expression se concentrent, à tort ou à raison, les espoirs de sortir de la crise actuelle. L'inforoute est devenue une métaphore commune pour un regroupement d'industries qui, il y a peu de temps, n'avaient pas de langage commun; aujourd'hui elles ont le numérique. Elle est surtout devenue une métaphore pour un regroupement d'entreprises à caractère économique qui utilisent les techniques de monnaie électronique pour lancer la nouvelle industrie du contenu. Son aspect mythique nous empêche actuellement de distinguer entre le contenu et le contenant, entre ce qui est du domaine de l'électronique grand public et ce qui est de l'informatique pure et dure, d'où le besoin de définitions, car ce terme désigne à la fois:

> ➤ plusieurs ensembles distincts d'acteurs;
> ➤ plusieurs types d'inforoutes;
> ➤ plusieurs marchés différents.

Les inforoutes sont un système de repères nouveaux permettant à leurs utilisateurs de se promener dans des espaces de savoir. Elles représentent une nouvelle façon de faire des choses, de nouvelles zones d'action en commun pour les groupes. Si la culture est une façon d'exprimer notre identité, l'inforoute sert à la diffuser. Parce que ce sont des techniques qui encouragent la diversité et que l'accessibilité aux informations est de plus en plus rapide et moins coûteuse, les inforoutes multiplient les sources de données comme autrefois l'imprimerie a multiplié l'impact du texte sur la société en multipliant son support. Ce sont des infostructures qui n'auront probablement pas de pouvoir au sens politique, mais qui auront une influence culturelle et économique énorme sur notre société. À l'heure actuelle, il y a beaucoup de dérapages, d'embouteillages et même de nombreuses sorties de piste; les débuts des autoroutes électroniques ressemblent plutôt à un rodéo, c'est-à-dire à un parcours semé d'embûches. Elles se développent grâce à une série de convergences qui font émerger certaines tendances:

> convergence technologique = l'interopérabilité;
> convergence médiatique = le multi et plurimédia;
> convergence économique = les alliances verticales (les méga-majors)
> convergence des contenus = l'homogénéisation des cultures (l'américanisation)
> convergence réglementaire = la déréglementation

Les trois grandes questions que doivent se poser les décideurs

1. L'offre ou la demande? — Doit-on développer une logique d'investissement massif dans les infrastructures (espérant que l'organe développera la fonction) ou une logique de la demande en investissant plutôt dans les contenus (un marché se développant par ses applications)?

2. En amont ou en aval. — Les activités de tri et de synthèse doivent-elles être placées en amont (centralisées) ou en aval (décentralisées, c'est-à-dire plus près de l'utilisateur)?

3. Quel sera le moteur du marché? — Est-ce que le marché sera tiré par le grand public ou par les entreprises?

La première définition du *Information Super-highway* était: «*A seamless web of networks providing the services people want and need.*» Le deuxième fut: «*A system of interactive, high-speed fiber optic networks reaching into every home and capable of connecting people to each other and to vast sources of data, news and entertainment.*» Selon les trois pôles tertiaires, l'inforoute peut maintenant être définie comme étant:

➤ un **réseau global à haut débit,** créé par la convergence des technologies des télécommunications, de l'informatique et de l'audiovisuel, connectant les réseaux déjà existants et favorisant la création de nouveaux réseaux, pour former non pas une inforoute mais un ensemble d'inforoutes (définition technique);

➤ une **place de marché international,** formée de diverses sphères de distribution, chacune devenant un espace électronique où des clientèles consomment des contenus et des services à vocation professionnelle ou résidentielle (définition économique);

➤ un **nouveau circuit** se plaçant entre le fournisseur de contenu et le téléconsommateur, c'est-à-dire entre l'offre et la demande (définition sociétale).

On distingue, entre les transporteurs et les opérateurs de passerelles, la partie principale ou épine dorsale de l'inforoute (backbone, WAN) qui utilise une combinaison de plusieurs techniques: satellites, fibres optiques ou coaxiales, téléphones. Ensuite les inforoutes s'adaptent à différents milieux, marchés et consommateurs, en se dirigeant vers des entreprises, des foyers ou des postes mobiles. Le tout forme un nouveau média dédié principalement aux télétransactions à vocation professionnelle ou résidentielle.

Ce réseau de réseaux devient le terrain de développement de l'industrie du contenu et le champ de bataille des méga-majors.

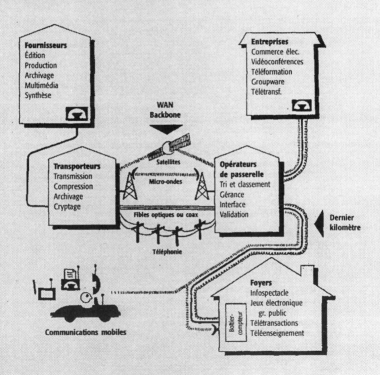

L'évolution des mass media vers les NTIC-inforoutes se fait par le passage d'une certaine masse critique d'informations reçue par une autre masse critique de consommateurs, vers une nouvelle masse critique d'informations, exponentielle celle-là, à laquelle réagit une masse de plus en plus importante de nouvelles clientèles s'ajoutant aux anciennes. La forte augmentation de ces deux masses critiques exige le développement d'un nouveau modèle donnant naissance à une nouvelle logique de consommation, à la technologie «client-serveur», etc. Autre changement majeur: dans le modèle mass médiatique du haut, le diffuseur contrôle le processus, tandis qu'avec les NTIC-inforoutes, c'est le récepteur qui le contrôlera.

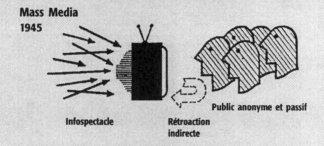

Mass Media 1945

Infospectacle   Rétroaction indirecte   Public anonyme et passif

Depuis les années 1945, les mass media règnent sur notre société, offrant des spectacles à un immense public anonyme et passif, ne réagissant qu'indirectement. Leur modèle économique repose sur l'idée qu'une masse importante de récepteurs offre des bénéfices tout aussi importants.

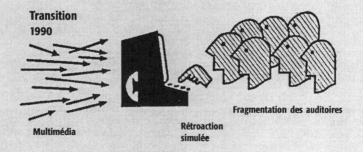

Transition 1990

Multimédia   Rétroaction simulée   Fragmentation des auditoires

La transition vers un autre modèle donne lieu à une situation hybride, où il n'est question actuellement que de l'aspect le plus tangible, l'autoroute physique. Le public s'est fractionné selon ses intérêts, les sources de revenus et de bénéfices aussi.

NTIC (inforoute)
2000...

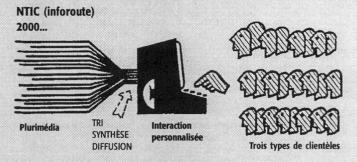

Plurimédia TRI SYNTHÈSE DIFFUSION Interaction personnalisée Trois types de clientèles

Le nouveau modèle s'esquisse déjà: des contenus plurimédias auxquels trois types de clientèles auront accès à la condition d'améliorer le tri, la synthèse et la diffusion des informations en amont, c'est-à-dire avant qu'elles ne parviennent aux consommateurs.

Chaque étape est caractérisée par l'augmentation de la masse d'informations et de la masse des consommateurs ainsi que par une modification des comportements de ces usagers. Chaque étape représente aussi un bond économique important, à cause des coûts de production des contenus et de la quantité et de la diversité des nouvelles clientèles de consommateurs.

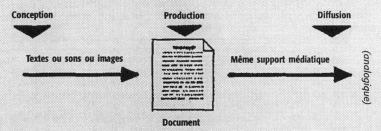

L'étape des mass media est celle des techniques audiovisuelles étanches (journaux, télévision, radio, etc.), diffusant à peu près les mêmes contenus, même s'ils sont produits différemment, aux mêmes publics anonymes et passifs. À cette étape, le document est diffusé tel qu'il a été conçu et produit.

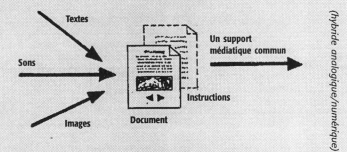

L'étape du multimédia se développe autour de la convergence médiatique des technologies audiovisuelles, informatiques et de télécommunication, avec l'interactivité et l'hypertexte. Le document est accompagné d'une série d'instructions qui précisent la qualité de la diffusion interactive sur un même système de plusieurs monomédias.

Le passage des mass media au multimédia a été facilité par l'emploi du numérique mais, en revanche, complexifié par l'émergence de l'interactivité.

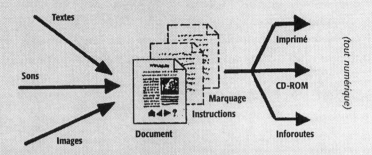

Le plurimédia ajoute aux instructions multimédias un marquage du document de façon à ce que celui-ci puisse être diffusé sur plusieurs supports, par exemple par les presses traditionnelles, sur un CD-ROM ou en réseau. L'étape suivante sera non pas un marquage en fonction des supports mais plutôt en fonction des usages, c'est-à-dire du profil des consommateurs.

Les trois types d'inforoutes

L'idée que notre monde n'est pas qu'un simple système fonctionnant entre les deux pôles «citoyen-société» a progressé au fur et à mesure que ce modèle bipolaire ne parvenait plus à expliquer les mutations en cours. Depuis dix ans, plusieurs modèles tripolaires sont apparus[3]; ils sont plus complexes à utiliser parce qu'ils fonctionnent à trois dimensions; en revanche, ils offrent une approche plus riche en nuances.

Le modèle de la communication multipalier. —

Confrontés au phénomène de fragmentation des auditoires qui s'attaquait aux mass media au début des années 1980, des chercheurs de l'UQAM ont développé une théorie de la communication multipalier: un *multistep flow of communication* succédant au *two step flow of communication* utilisé jusqu'alors (la théorie actuelle des communications ne serait qu'une théorie de la communication par les mass media). Cette théorie place les groupes entre l'individu et la société dans la chaîne communicationnelle. Un être humain vit dans différents environnements: à la maison, au bureau, sur la place publique, au magasin, etc. Chacun de ces environnements est un espace public où les gens tissent leurs rapports à partir du code de communication particulier à ce palier. Ainsi la ventilation de l'information et la participation des citoyens dans la société se font-elles à partir de plusieurs paliers, chacun étant un niveau d'interprétation culturelle. Chaque espace public possède ses caractéristiques propres: une architecture de réseaux, des méthodes différentes de médiatisation, une économie de services, etc. Plusieurs autres groupes de chercheurs ont travaillé dans le même sens.

> ➤ Les études sur la fragmentation des auditoires.

---

2. Exemple du modèle d'une société tertiaire à trois pôles: technologique, économique et sociétal.

> ≫ Les études sur les rapports existant entre une population et un espace donné: la proxémique de Hall et l'équistique de Doxiadis[3].

> ≫ La théorie des seuils critiques du groupe de Friedman[4].

> ≫ La théorie tétraglossique du langage qui décrit les rapports existant entre la langue et des environnements donnés, de Gobard[5].

> ≫ Les notions de «mass media - intermédia - self média» de Jean Cloutier[7], de *«intrapersonal - interpersonal - mass communications»* de Fred Ruben, de «communications individuelles - groupales - sociétales» de Ronald R. Rice, etc.

Le modèle des trois marchés. — En 1982, un chercheur japonais avance l'idée qu'il n'existe probablement pas qu'un seul marché pour les activités informatiques traditionnelles mais trois. En 1984, ce concept était repris par l'Union internationale des télécommunications puis par des chercheurs du MIT. C'est ainsi que l'on retrouve aujourd'hui ce modèle économique à la base du projet de l'inforoute américaine. Ce concept, vieux de douze ans, se trouve renforcé aujourd'hui par plusieurs nouveaux facteurs:

> ≫ les convergences technologiques et médiatiques qui donnent de nouvelles caracté-

---

3. *The Silent Language*, en 1959, et *The Hidden Dimension*, en 1966, par Edward T. HALL; *Ekistics: An Introduction to the Science of Human Settlements*, en 1968, par Constantin A. DOXIADIS.
4. *Utopies réalisables* par Yona FRIEDMAN en 1975.
5. *L'aliénation linguistique. Analyse tétraglossique*, par Henri GOBARD en 1976.
6. *L'ère de l'Émerec* de Jean CLOUTIER, Montréal 1975.

ristiques aux anciennes et surtout aux nouvelles machines à communiquer;

➢ la tertiarisation des activités entreprises autour du traitement de l'information qui attire de nouveaux acteurs et fait apparaître de nouvelles applications;

➢ les nouvelles alliances verticales rendues nécessaires par l'importance des investissements à trouver et la continentalisation des sphères de distribution;

➢ l'apparition du projet mobilisateur des inforoutes.

L'hypothèse des trois types d'inforoutes. — C'est en associant les deux précédents modèles que l'hypothèse des trois types d'inforoutes est apparue récemment. Un système aussi complexe que notre société actuelle ne peut se doter d'une seule inforoute, ce serait économiquement, socialement et technologiquement une aberration. Dans le passé, la Cité et l'État-nation sont nées de l'accumulation et du stockage qu'a permis le développement des routes; maintenant un nouveau type de société va naître des inforoutes. Contrairement à ce que l'on pense, l'inforoute ne donnera pas naissance a une société plus homogène que l'ancienne. Au contraire, l'inforoute renforcera la différence, car, en donnant la parole aux groupes d'intérêts, elle deviendra un réseau d'opinions. À cause de leurs caractéristiques, les inforoutes vont faire éclater la société actuelle et la répartir en nouvelles unités dialoguant à partir de leurs réseaux propres, des unités s'organisant en paliers successifs: de grands groupes généraux, des groupes moyens spécialisés et de plus petits groupes aux intérêts pointus. Les inforoutes ne sont pas des systèmes hiérarchisés fonctionnant du global vers le local, mais une foule de réseaux orientés latéralement vers leurs clientèles particulières. Les inforoutes «suscitent de nouveaux problèmes d'organisation humaine auxquels nous ne connaissons aucun précédent[7]». Pour rejoindre physiquement tous les gens, où qu'ils soient, nous devrons développer au moins trois types d'inforoutes:

> ≫ une inforoute **grand public** pour les activités de divertissement, c'est-à-dire d'info-spectacle (*infotai-nement*). Elle offre, rapidement et relativement à peu de frais, un contenu déjà médiatisé par des spécialistes de l'infospectacle; c'est un véritable robinet à images;

> ≫ une inforoute **commerciale** pour les activités professionnelles et industrielles. Elle offre, très rapidement et à certains frais (à cause notamment de la sécurité exigée), des contenus sophistiqués que s'échangent les professionnels d'un domaine donné;

> ≫ une inforoute **privée** pour les activités sociales. Elle est autogérée par ses utilisateurs et leurs groupes, qui paient l'information avec de l'information.

Les trois types d'espaces publics représentent trois philosophies d'utilisation: trois architectures matérielles, trois méthodes de médiatisation des contenus et trois économies différentes. Le formidable battage médiatique actuel autour de la version actuelle d'Internet nous empêche de distinguer les trois types d'inforoutes qui se côtoieront et se développeront à des rythmes différents. La meilleure hypothèse est la suivante: les inforoutes privées (l'Internet traditionnel des chercheurs et des groupes) ont reçu beaucoup d'attention ces derniers mois, mais elles ont encore beaucoup de problèmes à résoudre et leur modèle de gratuité généralisée n'est pas

---

7. Marshall McLuhan.

viable à terme. Les inforoutes grand public, celles de l'infospectacle offert surtout par les câblodistributeurs, connaissent encore d'importants problèmes techniques, notamment de bidirectionnalité. Ce sont probablement les inforoutes commerciales, un Internet dans une forme évoluée, qui vont se développer rapidement durant les cinq ou six prochaines années et tirer l'économie durant ce temps.

4

L'industrie du contenu (l'offre)

Dans ce chapitre...
- L'industrie du contenu
- Une offensive américaine
- Un marché mondial
- Vers la création d'environnements «intelligents»

Masquée par l'exagération médiatique qui a accompagné, entre 1980 et 1994, l'arrivée des micro-ordinateurs, de l'électronique grand public, d'Internet et du Web, peu de gens ont vu se profiler derrière toutes ces activités qui semblaient éparses l'émergence d'une nouvelle économie basée sur le développement d'une industrie du contenu. Ce n'est qu'à partir de 1990 que plusieurs personnes ont commencé à deviner l'importance de la rupture qu'annonçaient certains faits technologiques (les convergences créant les NTIC), certains faits économiques (la chute du mur de Berlin annonçant un nouvel ordre mondial s'édifiant sur le capitalisme triomphant), et certains faits sociaux (la mondialisation des problèmes d'environnement, de santé, etc.). L'émergence des méga-majors et des organismes internationaux conjuguée avec la baisse du pouvoir des États-nations semblent avoir été facilitées par la mondialisation des marchés créée par la mondialisation des inforoutes. C'est dans ce contexte à la fois de rupture et d'innovation que se situe l'émergence de l'industrie du contenu. Les nouveaux termes témoignent de la vigueur de cette industrie émergente; ils indiquent aussi des questionnements quant aux définitions et surtout quant aux usages: *new media, digital revolution, home entertainment and information services, two-way services, personal communication services, publishing and information services, commercial on-line services, mass consumer market in cyberspace, electronic market place, two way services, value-added networks,* etc.

L'industrie du contenu

Cette industrie, aussi appelée industrie de l'information, industrie culturelle ou industrie du numérique, assure la conception, la production, la gestion et la diffusion des ressources répondant aux besoins d'une société de l'information émergente. À l'avenir, toute société aura le devoir de forger son imaginaire, car si l'inforoute offre au citoyen-consommateur l'ici et l'ailleurs, sans contenu elle n'offre que l'ailleurs. Les contenus sont à la fois des objets culturels servant à un groupe d'êtres humains à vivre ensemble et des biens économiques parce que consommés par ces mêmes groupes; ainsi, dans une société de l'information, la culture devient-elle un enjeu économique. Ses principaux éléments sont les services, les produits, les applications et les programmes.

> ➤ Services: activités exigeant des transactions répétées.

> ➤ Produits: activités n'exigeant qu'un seul achat de la part du consommateur.

> ➤ Applications: activités exigeant l'utilisation de logiciels, de progiciels ou de didacticiels.

> ➤ Programmes: activités diffusées électroniquement à une masse de consommateurs.

Cette industrie se fonde sur la «matière grise» plutôt que sur le capital, les matières premières ou l'énergie, et elle présente une structure plus complexe et plus fluide que les industries classiques, une structure qui cesse de se massifier pour se ramifier. Elle émerge à cause du triomphe du libéralisme et du capitalisme, de la libéralisation des échanges commerciaux au travers des frontières nationales et de l'arrivée des nouveaux capitaux fournis par les nouveaux acteurs attirés par les bénéfices annoncés[1]. Grâce aux inforoutes, une nouvelle génération d'entrepreneurs est en train de naître. La rencontre de tant de nouveaux investissements avec tant de nouvelles idées donne un souffle nouveau à l'économie; certains chercheurs y voient même le démarrage d'un nouveau cycle économique[2]. À certaines conditions, les inforoutes pourraient faire basculer un marché n'offrant que des produits manufacturiers traditionnels basé sur l'offre (***technology push***) vers un marché orienté vers la demande en informations (***demand pull*** ou ***social pull***), l'information devenant éventuellement la monnaie de cette nouvelle économie. «*The time has come for the fundamental economics of the information industry to change*[3].» Ses principales caractéristiques sont:

 ≫ un secteur quaternaire[4];

---

1. En 1995, aux États-Unis, 29 milliards de dollars ont été investis à la bourse dans des entreprises innovatrices high-tech.
2. Christopher FARRELL *et al.*, «IPO Capitalism» (Initial Public Offerings), *Business Week*, 18 décembre 1995, p. 64-72.
3. Steve Kirsch, président d'InfoSeek, 1995.
4. L'ensemble des activités économiques est classé en trois grands secteurs: primaire, secondaire et tertiaire. Le secteur tertiaire comprend les services et, plus largement, toutes les activités n'ayant pas pu être classées dans les deux autres. Pour sortir de ce tertiaire un peu fourre-tout, on a baptisé «secteur quaternaire» les services liés à la communication et à la transmission de l'information.

> ➤ des poussées soudaines et quasi phénomé-
> nales vers des marchés hyper-ciblés, des
> restructurations et des rationalisations fré-
> quentes et profondes;
> ➤ un accent mis sur la valeur ajoutée;
> ➤ le développement d'un nouveau modèle
> socio-économique;
> ➤ le cryptage des données;
> ➤ des activités économiques en réseau et en
> temps réel, etc.

L'une des premières grandes manœuvres de
cette industrie est le développement et le contrôle des
boîtiers-compteurs qui introduiront de nouveaux moyens
de facturation, donc de paiements. Déjà plusieurs types
de boîtiers-compteurs sont à l'essai aux États-Unis: *low
cost Internet box*, *network computer*, etc. Ils sont moins
coûteux et plus simples à manipuler que les micro-ordinateurs, et surtout ils sont ouverts, c'est-à-dire qu'ils
exécutent leurs mini-programmes sur n'importe quel
système d'exploitation (qualité d'interopérabilité). Cette
manœuvre générera probablement un double accès: l'un,
sophistiqué, pour les bien nantis (à partir d'un micro-
ordinateur valant à peu près 2500$) et un autre, grand
public, pour les moins biens nantis (grâce à un boîtier
coûtant entre 250$ et 500$). Ces nouveaux appareils
développeront de nouveaux moyens de paiement et
même d'échange: monnaie virtuelle, troc, etc. Les autres
manœuvres déjà en cours dans les pays du G7 sont les
démarches de déréglementation, l'adaptation des droits
d'auteur, la sécurité des paiements électroniques, la création de logiciels facilitant la navigation, etc.

Son évolution en quatre périodes. — Comme les
cycles économiques précédents[5], l'industrie du contenu
peut être analysée selon une courbe en S qui se subdivise

---

5. Voir les théories de Nikolai Kondratieff, Joseph
Schumpeter, Paul Hawken, etc.

en quatre périodes révélant l'émergence d'un nouveau modèle socio-économique lié aux besoins de groupes de consommateurs bien ciblés intéressés par des micro-marchés apparaissant par vagues. En Amérique du Nord, nous passons actuellement de la période B à la période C.

A. *La gestation (à partir de 1945)*. — Si les NTIC sont le fruit de la convergence technologique de l'audiovisuel, de l'informatique et des télécommunications, et qu'Internet n'est qu'une partie de l'ensemble des réseaux, on peut penser que cette industrie a commencé à s'édifier surtout après 1945, notamment avec l'émergence des mass media dont une partie des contenus est traitée actuellement pour être véhiculée par les inforoutes. C'est une période de recherche où le développement technologique joue un rôle important: télévision, ordinateur, réseau, satellite, etc. Ce développement technologique a propulsé les manufacturiers d'appareils et de réseaux vers l'exploration des créneaux grand public et privés et vers la recherche de nouveaux besoins.

B. *La croissance (à partir de 1980)*. — Période où l'accent fut mis sur le développement d'applications générant de nouvelles demandes (Internet, CD-ROM, multimédia, etc.) créant des percées économiques et amorçant la spirale de la demande: création de projets pilotes, développement de nouveaux marchés, amélioration de la convivialité et de la production, identification de groupes de consommateurs spécifiques, etc.

C. *La maturité (à partir de 1990).* — Période où l'on cherche à développer la qualité des produits, leur commercialisation, la réponse à l'individualisation de la demande: optimisation des micro-marchés, réduction des coûts de production et de diffusion, etc. C'est la période de rentabilisation des efforts et des investissements consentis dans les périodes A et B.

D. *Le vieillissement (après 2005-2010).* — Le marché atteindra sa saturation et attendra l'arrivée des environnements «intelligents» déjà en gestation.

Les caractéristiques de ses contenus. — Les contenus ont eux-mêmes des caractéristiques bien définies.

➤ ***Des contenus interactifs.*** — Ces contenus nécessitent une réaction humaine. À cause de l'interactivité, les messages sont de moins en moins une série de données et de plus en plus un processus ouvert et modifiable. Autre nouveauté: l'écran devient un élément du message (icônes, multifenêtrage, etc.)

➤ ***Des contenus en kit.*** — Les contenus ne sont plus de longs défilements d'images écran, mais s'atomisent en une mosaïque d'éléments dont le sens est reconstruit à sa guise par l'utilisateur.

➤ ***Une nouvelle réception technique.*** — Les contenus sont véhiculés numériquement et non plus grâce à la réception analogique de type cinéma ou télévision.

➤ ***Des contenus multimédias.*** — Les contenus font converger les textes, sons et images avec l'interactivité de l'hypertexte.

Les inforoutes sont un concept unique pour désigner quatre ensembles distincts d'acteurs et le cumul de leurs compétences (selon le modèle McKinsey).

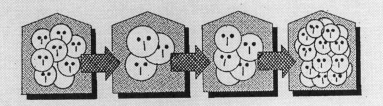

➤ Les **fournisseurs de contenus** multi et plurimédias
(applications, services, programmes)
> ➤ Les créateurs et producteurs indépendants
ou en consortium (majors), les infogra-
phistes et les concepteurs médiatiques, les
éditeurs de livres, de disques, de CD-ROM,
etc.
> ➤ Les publicistes, relationnistes et spécialistes
du marketing.
> ➤ Les packagers, les courtiers, les revendeurs,
les spécialistes des services-conseils et les
consultants.
> ➤ Les développeurs de bases de connaissan-
ces et de ressources, etc.
> ➤ Les radios et câblodiffuseurs comme four-
nisseurs de contenus.
> ➤ Les fournisseurs primaires: musées, galeries,
bibliothèques, universités, compagnies artistiques, journaux et magazines, municipali-
tés, centres de loisirs, banques et bourses,
commerces, entreprises. Le gouvernement:
ses ministères et services. Les chaînes de
journaux offrant des versions électroniques.

➤ Les **transporteurs** (common carrier)
> ➤ Le secteur des télécommunications: les
radiodiffuseurs et câblodiffuseurs, les compagnies de téléphonie locale et interurbaine,
les exploitants de satellites, de téléports, etc.
> ➤ Les développeurs de télécommunications

mobiles *(cellulaires, télé-avertisseurs, radio-communications mobiles).*

➤ *Le secteur de l'informatique: les fabricants de pièces et de composants électroniques, d'équipements et d'instruments, les éditeurs de logiciels, les sociétés de services de traitement de données et de services-conseils en ingénierie informatique ou autre.*

➤ **Les opérateurs de passerelles** (gateways, technology enablers)

➤ *Les entreprises de services interactifs : monétique, téléachat et réservation, domotique, etc.*

➤ *La plupart des grands éditeurs de logiciels et des industriels d'électronique grand public.*

➤ *Les entreprises de développement d'agents d'interface, etc.*

➤ *Les prestataires de réseaux commerciaux ou non commerciaux.*

➤ *Les* **consommateurs** *(au bureau, à la maison)*

➤ *Les utilisateurs des créneaux public, commercial et privé, à partir de la maison, du bureau, des institutions ou des places publiques. Les différentes clientèles et communautés spécialisées.*

➤ *Des contenus distribués.* — La valeur des produits est de plus en plus le reflet du coût de leur distribution et de leur commercialisation.

L'industrie du contenu est un concept qui prend forme présentement[6] à cause de certaines pressions:

➤ la continentalisation et éventuellement la mondialisation des marchés;

➤ le développement de la vocation résidentielle ou phénomène du cocooning, le développement de l'infospectacle et des chaînes spécialisées, etc.;

➤ l'individualisation des services rejoignant de plus en plus les demandes des consommateurs;

➤ l'émergence de deux clientèles économiquement importantes: les jeunes et les gens âgés.

Des places de marché électroniques. — Les inforoutes ne sont pas des tuyaux comme on se l'imagine habituellement mais plutôt des espaces. Ce sont les **places de marché électroniques** d'une société de l'information où la connaissance et le savoir sont véhiculés par des bits électroniques pouvant être copiés à l'infini et devenant la base économique de cette industrie. Les mutations en cours sont:

➤ une tertiarisation de l'économie introduisant le postindustriel;

➤ l'apparition d'un nouveau modèle socioéconomique multipliant les groupes de consommateurs spécifiques;

---

6. Signalons que Theodor W. Adorno et Max Horkheimer ont décrit en 1944 et publié par la suite en 1947, à Amsterdam, une analyse du concept d'industries culturelles.

> une arrivée importante de nouveaux acteurs et de leurs capitaux;

> une continentalisation des marchés qui font émerger des méga-majors transnationaux;

> le passage d'une économie de masse à une économie de la connaissance;

> l'abandon du processus de diffusion mass-médiatique en faveur d'une diffusion beaucoup plus individualisée;

> le passage du processus de décision actuellement entre les mains des fournisseurs vers les consommateurs;

> une tarification selon le volume ou le type d'information remplaçant la tarification à distance;

> le développement d'une monétique sécuritaire, etc.

Un développement par vagues. — Cette industrie se développe par vagues, chacune étant une forme d'hybridation englobant à la fois d'anciennes et de nouvelles techniques. On peut aborder l'analyse des contenus à partir de leur degré actuel de numérisation.

> Il y a les activités situées à l'origine de cette industrie que sont l'informatique et les télécommunications. Cet éventail va de la fabrication des appareils et des réseaux jusqu'aux activités de services-conseils et de courtages en passant par le développement des passerelles, l'édition de logiciels, les activités infographiques, etc.

> Certaines sources récentes de contenus sont entièrement informatisées: les banques de données, les CD-ROM multi-

médias, l'électronique grand public, le commerce électronique, etc.

➤ D'autres sources peuvent être numérisées aisément. Ce sont celles des phases antérieures qui viennent de s'hybrider: l'édition (journaux, magazines, etc.), la musique (concerts, disques analogiques, etc.), la publicité, l'industrie de la langue (traduction, traitement du sens, etc.).

➤ D'autres sources peuvent être informatisées mais à des coûts élevés à cause notamment des limites de stockage des supports: le cinéma, la télévision, les cassettes vidéo traditionnelles, etc.

➤ Il existe tout le secteur de l'enseignement électronique (APO, EAO, EGO, formation professionnelle, etc.).

➤ Enfin, il existe toute une série d'activités artistiques et culturelles qu'on n'informatise guère actuellement: les spectacles sur scène, les festivals, les expositions, etc.

➤ On croit que de nouvelles sources de contenu s'ajouteront quand certaines activités démarreront: la domotique, l'automobile «intelligente», les films et les vidéos à la demande, etc. D'autres sont à venir à partir de nouvelles phases d'hybridation rendues possibles par la phase de simulation et de réalité virtuelle que permettront des systèmes et des algorithmes plus puissants.

Cette évolution fait converger beaucoup d'activités vers les inforoutes, suscitant de nouveaux liens économiques:

➤ les nouvelles exportations générées par la continentalisation des marchés;

➤ la reconversion numérique des nombreux

contenus autrefois sur supports analogiques;

> les produits dérivés, car il existe des liens étroits entre les produits en ligne et les produits hors ligne;

> le tourisme.

Ces activités ont aussi un impact direct sur certains éléments non commerciaux mais essentiels à la société:

> l'évolution de la langue et de la culture, essentielle à l'adaptation aux mutations autant sociétales que technologiques;

> l'adaptation de l'imaginaire collectif qui permet une alphabétisation à la modernité capable de fournir aux citoyens des symboles de la modernité du temps et de l'espace qu'ils habitent.

Une offensive américaine

Le *Information Superhighway* n'est pas une offensive technologique mais, d'abord et avant tout, une offensive économique: «*The Information Superhighway is the basic building block of the economy in the futur*[7].» Cette stratégie devrait permettre à certains méga-majors de prendre le contrôle de l'industrie mondiale du contenu d'ici le tournant du siècle: «*Those who control the editing rooms, will run the show*[8].» Ces méga-majors, tout internationaux qu'ils se prétendent, sont dirigés par des Américains et diffusent des contenus américains grâce à des technologies américaines. Cette stratégie s'appuie sur leur longue expérience de l'utilisation des techniques d'information et de communication. «À l'avenir, il n'y aura place que pour une culture... et celle-ci sera américaine!» prétend George Lucas. Il ne faut pas être étonné

---

7. B. CUTLER, assistant au président Bill Clinton, Washington, 1993.
8. Revue *Wired*, août 1994.

ou choqué par cette phrase; les États-Unis se sont construits sur la conviction d'être une société où toutes les cultures se fondent en un mode de vie qui doit convenir à toute l'humanité. Dans cette perspective, les Américains n'imposent pas leur *way of life*, ils le partagent tout simplement pour le plus grand bonheur de tous croient-ils.

Les méga-majors américains ont bien identifié le marché du siècle, c'est-à-dire la possibilité de vendre des ressources informationnelles aux bureaux et aux foyers dans tous les pays; leur devise est «*Anyone, Anywhere, Anytime*». Des alliances s'organisent pour le contrôle de l'industrie mondiale du contenu, d'ici le tournant du siècle: «D'ici cinq ans, le monde entier se ralliera sous deux ou trois bannières, quatre tout au plus[9].» Les nouveaux maîtres du monde[10] seraient Bill Gates de Microsoft, Michael Eisner de Disney, Ted Turner de CNN, Rupert Murdoch de News Corp, Barry Diller de QVC, Frank Biondi de Viacom, John Mallone de TCI, Gerald Levin de Time-Warner, Conrad Black de Hollinger, Steven Spielberg de DreamWorks, les présidents de Sony, AT&T, Matshusita, Bertelsmann, etc. Une nouvelle élite qui manipule avec virtuosité les images et les symboles.

Même sans un leader, le plan américain d'un nouvel ordre mondial est clair, et les majors peuvent compter sur l'appui de leur gouvernement: «La base de la puissance américaine est, pour une très grande part, sa domination du marché mondial des communications [...] Cela crée une culture de masse qui a une force

---

9. Craig McCaw, alors président de McCaw Cellular Communications, *The Wall Street Journal*. 10 mai 1993. Actuellement, une alliance entre les grandes banques, les opérateurs de réseaux et les principaux créateurs de logiciels de navigation pourrait prétendre gouverner le monde.

10. *Les nouveaux maîtres du monde* de Bertolus et de la Baume, 1995. Voir aussi l'article «*The New Establishment*» dans le magazine *Vanity Fair* d'octobre 1994 et les analyses du Media Studies de l'Université de Columbia.

d'imitation politique[11].» Toutefois, il est problable que ce projet de conquête mondiale soit difficile à réaliser, car la planète est immense et l'imaginaire des peuples est en jeu. Ce plan pose déjà plusieurs défis aux autres pays. Quelle stratégie d'alliance préparer tout en évitant de développer localement une économie de succursales? Comment éviter le dumping de contenus américains dans un contexte de déréglementation et de continentalisation, puis de mondialisation des marchés?

Un marché mondial

Deux décennies avant l'organisation du comité ad hoc pour l'élection de Clinton-Gore qui a lancé le *Information Super-highway*, de nombreux porte-parole de l'industrie avaient cherché à attirer l'attention des Américains sur LE marché du siècle qu'était cette industrie. Parce que gigabits signifient gigadollars. cette industrie deviendra la première au monde après l'an 2000; selon Bill Gates ce sera «LE marché ultime». Ce discours fut amplement médiatisé. «*This is by all odds the most important lucrative market place of the 21st Century*[12].»

En 1994, les revenus engendrés aux États-Unis furent d'environ 400 milliards de dollars sur un total mondial d'environ 907 milliards $. D'autres chercheurs prétendent que ce chiffre est deux fois plus élevé. Quoi qu'il en soit, les statistiques s'entendent sur le fait que la moitié du marché était déjà détenue par les Américains à cette date (ceux-ci possèdent 150 des 300 premières entreprises de communication et d'information, 65% des données en circulation et des serveurs, etc). Les revenus engendrés par cette méga-industrie dépasseraient 3 trillions de dollars dans le monde entier en l'an 2001[13]; si les inforoutes ne vont chercher qu'une partie de ce

---

11. Zbigniew Bzrezinski, en 1971. Voir dans la bibliographie.
12. Le vice-président Al Gore, *Time*, le 12 avril 1993.
13. Hypothèse fournie en 1993 par John Sculley, ancien président de Apple.

marché lors de leur démarrage, le jeu en vaudra la chandelle. En 1994, le temps et les fonds consacrés aux loisirs par un consommateur américain furent[14]:

	Total des heures	Total des dépenses ($)
Télévision traditionnelle	1560	110
Radio	1102	0
Musique enregistrée	294	56
Journaux	169	49
Livres	102	79
Magazines	84	36
Vidéocassettes (location ou achat)	52	73
Jeux vidéo	22	17
Films (en salle)	12	25
Services interactifs (Internet)	3	7

En 1995, une étude intitulée «Avez-vous utilisé une technologie ou une application au cours du dernier mois?» révèle une situation à peu près similaire au Québec[15]:

Vidéo	82%	Boîte vocale	29%
Guichet automatique	74%	Vidéoway	24%
Répondeur	59%	Chiffrier électronique	17%
Photocopieur	58%	Modem	16%
Ordinateur	52%	Courrier électronique	12%
Télécopieur	38%	CD-ROM	7%
Jeux vidéo	34%	Cinéma à la carte	4%
Traitement de texte	31%	Internet	3%

À cette électronique grand public s'ajoute une panoplie d'outils électroménagers et électroniques qui complète cet environnement[16] domestique et prépare l'émergence d'environnements «intelligents»:

Frigo	98%	Machine à laver	76%
Four à micro-ondes	83%	Lave-vaisselle	47%

14. «Communication Industry Forecast», Veronis, Suhler & Associates, Ninth Annual Edition, 1995.
15. «Sondage Impact Recherche» publié dans *Info-Presse Communications*, vol. 10, n° 10, juillet-août 1995.
16. Statistique Canada, 1995.

Cette économie sera globale, c'est-à-dire en dehors de tout contrôle. Les méga-majors ne sont pas tenus de rendre compte de leurs actions à quiconque; ils n'ont pas à respecter les principes de légitimité qui s'appliquent aux relations entre les citoyens et l'État. «Partout les champions nationaux deviennent des réseaux mondiaux n'ayant pas de lien particulier avec une nation particulière[18].» Ces nouveaux maîtres du monde maîtriseront les éléments clés de la puissance de demain: l'accès au financement, aux informations, aux marchés et aux nouvelles technologies, l'État-nation ayant cédé une part de ses compétences en demandant à ces «forces du marché» de développer ses projets de société. L'absence de projet de la part de l'État-nation crée l'actuelle sensation d'essoufflement qui fait émerger la rupture. Parce que la fusion des espaces économiques signifie l'affaiblissement des frontières politiques, l'État-nation pourrait se transformer en coquille vide, c'est-à-dire qu'il serait siphonné de tout pouvoir par la mondialisation de l'économie, et la culture nationale, ciment de cet État, perdra alors sa pertinence Cette industrie est tellement devenue une question de gros sous et de création emplois que les politiques de planification gouvernementales concernant la langue et la culture se sont soudainement métamorphosées en industries culturelles.

Cette industrie sera un nouveau pouvoir **anonyme** et **apatride**. Peu de gens remettent en cause les conséquences pourtant prévisibles d'un tel scénario: la dilution du pouvoir des États-nations qui se traduit actuellement par une baisse des services (santé, éducation, environnement, etc.), l'émergence de nouvelles classes d'inforiches et la fin du libre-échange au profit des majors. Les méga-majors développent un néocapitalisme qui sera un élément déstabilisateur pour l'économie mondiale, en élargissant le fossé entre les pays riches et pauvres et entre les classes riches et pauvres, et en permettant à la finance d'assujettir l'économie industrielle.

17. Robert REICH dans *L'économie mondialisée.*

Cette monétarisation de l'économie s'appelle la financia-
risation. Les notions d'*industrie* et de *marché* utilisées
depuis 1990 deviennent maintenant plus complexes que
les définitions purement capitalistes qu'en donnaient
généralement les économistes traditionnels[18]. C'est devenu un environnement où tout doit se déréguler selon
les seuls critères du marché où les plus forts l'emporte.
Si l'économique l'emporte sur le politique, le nouvel ordre économique imposera un modèle médiatique unique
ainsi qu'une pensée unique. Les inforoutes ne serviront
que le rendement financier au lieu de desservir la collec-
tivité (maillage, participation, responsabilisation, etc.).

Le développement des futures inforoutes ne
dépend pas de leur capacité de rejoindre 50 millions
d'utilisateurs d'Internet mais d'offrir des micro-marchés
(niches hyperciblées, sites segmentés, etc.), c'est-à-dire
des services à grande valeur ajoutée à des groupes d'intérêts ciblés voulant acquérir ces contenus parce qu'essentiels à leur survie. Il ne s'agit plus d'offrir 500 chaînes
mais plutôt une chaîne sur mesure. Le succès de cette
industrie dépendra de sa capacité à répondre à l'individualisation de la demande, à une progression par vagues
au fur et à mesure que des communautés identifieront
les inforoutes comme des moyens plus faciles et économiques pour accéder à leurs besoins, et de leur capacité
de valider ces démarches:

> ➤ prouver l'identité de l'utilisateur à l'ori-
> gine de la transaction;

> ➤ prouver son droit à établir cette transac-
> tion;

> ➤ prouver que le contenu de cette transac-
> tion a été reçu à la bonne adresse;

> ➤ s'assurer que la transaction est légale;

> ➤ s'assurer de sa confidentialité;

---

18. Une propriété privée ayant le profit pour moteur et
dont le prix reflète le mouvement de l'offre et de la
demande.

> ≫ résoudre les disputes entre les partenaires commerciaux s'il y a lieu.

Le lancement des quelques marchés décrits dans le chapitre suivant, même si quelques-uns sont des applications extrêmement populaires (*killer applications*), ne parviendra pas à financer le développement des inforoutes et de leurs contenus, d'où le besoin de planifier des agendas de rentabilisation à moyen terme, c'est-à-dire s'établissant d'ici au moins l'an 2000. À court terme, les principaux défis sont:

> ≫ le développement d'interfaces conviviales;

> ≫ l'adaptation de certains contenus à des publics spécifiques;

> ≫ une plus grande quantité de micro-ordinateurs équipés de modem au bureau et surtout à la maison, ou le développement d'une technologie le permettant (*low cost Internet box, applets, network computer*, etc.;

> ≫ des réseaux bidirectionnels à largeur de bandes suffisante pour les services interactifs ou le développement d'une technologie le permettant (*low cost box*);

> ≫ le développement de transactions sécuritaires, etc.

Vers la création d'environnements «intelligents»

Parce que cette industrie se développe par vagues, les forces de changement à l'œuvre feront émerger des environnements «intelligents», la domotique par exemple. Ces environnements «intelligents» ne sont qu'une phase dans un courant de pensée plus ancien qu'on ne le pense. Depuis des siècles, les artistes et les scientifiques ont cherché à imiter la nature, soit par mimétisme, soit par anthropomorphisme, que ce soit les premiers automates du xviiie siècle, le canard de Vaucanson par exemple, en passant par l'étape de l'intelligence artificielle et de la réalité virtuelle, jusqu'à l'utopie des éventuels ordinateurs neuronaux.

Dans le passé, toutes ces activités n'ont été analysées que sous l'angle industriel: comment fabriquer des appareils *Faster, Smaller, Cheaper*. Rarement a-t-on analysé le développement de cette industrie sous l'angle du consommateur. Or, celui-ci ne veut pas continuer à acheter de nouvelles machines à communiquer qui changent tout le temps et qui deviennent souvent un obstacle à sa productivité et à son plaisir à cause de leur apprentissage de plus en plus complexe et continu. Le consommateur veut un service réel, avec un bon rapport qualité/prix et une navigation qui lui est familière. Pour ses activités de travail ou de loisir, il désire vivre dans un espace où tout est agencé, c'est-à-dire prévu et familier, donc tenant compte de sa logique d'utilisation. Il désire que sa maison, son bureau ou son automobile soient intégrés, ce qui veut dire en jargon industriel «intelligents».

Habitués à surveiller les largeurs de bandes, les nanosecondes ou l'importance de la mémoire du système, les industriels ne réalisent guère que chaque étape de la convergence technologique qui est liée à la compétitivité nous fait progresser non pas vers un appareil plus performant mais vers un environnement plus «intelligent»:

> ➤ les premiers calculateurs des années 1950;
> ➤ les *main frames* des années 1960;
> ➤ les microordinateurs des années 1970;
> ➤ les réseaux de micros des années 1980;
> ➤ les assistants électroniques, les *notebooks*, les *low cost Internet box* des années 1990;
> ➤ les microprocesseurs rendant «intelligents» une foule d'objets formant nos environnements vers l'an 2000.

Les grandes étapes de la recherche interactive d'informations dans les espaces mémoires ont progressé de la même façon:

➤ la recherche de fichiers placés dans un ordinateur central (*main frame*) à partir des années 1960:

➤ la gérance de ses propres informations dans son micro-ordinateur personnel durant les années 1980;

➤ la recherche de la bonne information dans la jungle des serveurs d'Internet durant le début des années 1990;

➤ l'utilisation d'agents «intelligents» qui trouvent l'information et la reformatent pour notre système dans les années qui viennent.

La convergence médiatique, liée à la valeur ajoutée, progresse aussi selon à peu près les mêmes étapes:

➤ les grandes séquences d'images des films muets des années 1910 et 1920, puis «parlés» des années 1930;

➤ les programmes en direct de la télévision des années 1960;

➤ les séquences d'images et de sons découpées par l'audiovisuel des années 1970;

➤ la création ordinée de documents hypertextes des années 1980;

➤ la production multimédia accompagnée de produits dérivés (cassettes, livres, jouets, etc.) des années 1990;

➤ la réalité virtuelle tridimensionnelle des années 2000.

Les consommateurs ont aussi changé, la majorité silencieuse et anonyme se métamorphose en différents groupes d'utilisateurs selon les paliers de la société où ils vivent. Non seulement le nombre d'utilisateurs se multiplie mais leurs besoins explosent, amorçant une spirale de demandes. Et, chose nouvelle, ils commencent à contrôler eux-mêmes le processus de décision au lieu de le laisser entre les mains des fournisseurs; en fait ceux-ci préfèrent un consommateur qui consomme à un utilisateur qui participe:

> ➤ les grands publics anonymes et passifs des mass media des années 1960;

> ➤ la fragmentation des grands auditoires par les médias spécialisés en divers groupes durant les années 1970;

> ➤ la multiplication des groupes d'intérêts de toutes sortes durant les années 1980: les groupes identitaires comme les écologistes, les féministes, les nationalistes, les groupes d'entraide sociale, régionaux ou de métier;

> ➤ la découverte du consommateur en tant que personne durant les années 1990;

> ➤ et maintenant, que chaque consommateur pourrait développer plusieurs besoins, vers l'an 2000.

À chaque vague, le consommateur consent à débourser des sommes de plus en plus importantes parce que le contenu ou l'appareil améliore ses activités:

> ➤ autrefois, il se précipitait chez l'imprimeur du quartier, aujourd'hui, il manipule lui-même son imprimante laser;

> ➤ autrefois, l'achat d'un téléviseur était une décision familiale importante, maintenant le deuxième écran est installé sans discussion dans la chambre des jeunes de la maison;

> ➤ il y a quelque temps, l'homme d'affaires devait se rendre à son bureau pour téléphoner, maintenant son cellulaire l'accompagne partout;

> ➤ il prenait des notes que sa secrétaire dactylographiait et envoyait, aujourd'hui il utilise son *notebook* et Internet, etc.

Les gens ont accepté ces appareils et adopté de nouveaux comportements dans leur travail ou leurs loisirs; cette acceptation s'est faite par l'intégration de ces appareils ou de ces contenus dans leurs environnements habituels. Ce n'est que depuis 1990, avec l'émergence des NTIC et des inforoutes, que ces environnements donnent l'impression de se modifier, mais ils se modifiaient depuis trente ou quarante ans déjà. La masse critique des machines à communiquer, des informations en circulation et des gens utilisant ces appareils est telle que les quantités en cause font surgir au grand jour des questions importantes. Lorsque la **qualité** nous interpellera comme la **quantité** le fait actuellement, c'est que nos environnements auront commencé à changer, et que l'espace et le temps se seront modifiés au point de changer l'opinion de l'ensemble des citoyens. La rupture sera alors consommée.

Dans le passé, le domaine des communication a développé un modèle socio-économique bâtit sur l'édition et la diffusion de la chose imprimée, puis sur les services téléphoniques, les mass media et enfin l'informatique traditionnelle. Maintenant, il doit se doter d'un modèle socioéconomique original, c'est-à-dire en fonction de l'après rupture. Dans son ensemble, le passage après 1945 en est un du traitement analogique des informations vers la création de services numériques interactifs empruntant les inforoutes et accélérant l'individualisation des contenus. Le coût à payer pour cette phase d'hybridation industrielle non prévue par les décideurs est celui de la surcharge informationnelle actuelle. Le prix que nous devrons débourser pour faire démarrer cette industrie et cette société sera l'apprentissage des nouveaux outils de traitement médiatique et le développement d'une convivialité d'accès pour des groupes de consommateurs de plus en plus hétérogènes, c'est-à-dire le développement de nouveaux modèles d'accès à la connaissance.

Par leur dynamisme, l'importance de leurs investissements et leur long passé de défricheurs, les États-Unis sont les leaders actuels de l'industrie du contenu. Le redéploiement de l'ensemble industriel américain autour des inforoutes s'articule grâce à de nombreuses alliances seules capables de contrôler un développement qui se fait dans de multiples directions.

Voici quelques noms des entreprises les plus connues dans chaque catégorie d'acteurs. Cette liste, fort incomplète, révèle quand même une structure industrielle intégrée : non seulement toutes les cases sont-elles remplies par plusieurs entreprises, mais celles-ci sont de très haute qualité. Une structure industrielle est intégrée lorsqu'elle peut contrôler l'entrée (l'édition) et la sortie (la diffusion) en s'appuyant sur une présence importante de capitaux croisés (autre façon de parler contenant-contenu).

Fournisseurs de contenus

Infospectacle
- Time Warner
- Walt Disney
- Paramount
- Sony
- Matsushita
- Turner
- Viacom
- LucasFilm
- Dream Works, etc.

Musique, jeux et edutainment
- Electronic Arts
- Broderbund
- The Learning Co.
- Scholastic
- Sega
- Nintendo, etc.

Édition
- Times Mirror
- Knight Ridder
- McGraw Hill
- Gannet, etc.

Commerce élec.
- IBM
- Digital, etc.

Transporteurs

Téléphonie interurbaine
- AT&T
- MCI
- Sprint, etc.

Téléphonie régionale
- Bell Atlantic
- NYNEX
- US West
- GEE, etc.

Câblo opérateurs
- Time Warner
- Telecommunications
- Cablevision
- Comcast, etc.

Mobile - sans fil
- AT&T-McCaw Cellular
- Motorola
- Qualcom
- Rocatek
- FleetCall, etc.

Opérateurs de passerelles

Électronique grand public
- Sega
- Nintendo
- 3DO
- General Instrument
- Sony
- Matsushita
- Apple
- Hewlett Packard, etc.

Logiciel
- Oracle
- Sybase
- Informix
- Microsoft, etc.

Ordinateurs
- Silicon Graphics
- Sun Microsystems
- NCR/AT&T, etc.
- Hewlett Packard

Transactions commerciales
- America On Line
- CompuServe
- Prodigy
- QVC
- Home Shopping Net
- MicrosoftNet, etc.

Transactions non commerciales
- Internet traditionnel
- Usenet, Freenet, BBS, etc.

➤ C'est une industrie complexe et hybride se développant à partir du contenant et du contenu. Un nombre plus grand d'acteurs, autrefois isolés, s'y trouvent de plus en plus regroupés.

➤ Il y a les trois principaux types d'acteurs qui fournissent, transportent et acheminent les contenus vers les consommateurs. Tous ces acteurs sont soutenus par des manufacturiers qui fournissent des composants ou des appareils.

➤ En outre, cette industrie exige six actions de support de la part de la société : une veille technologique et stratégique, une formation adéquate de la main-d'œuvre, une R&D autant fondamentale qu'appliquée, le financement de ces activités, le développement d'alliances, et une commercialisation dynamique.

➤ Toutes ces activités et ces investissements demanderont une plus grande intégration des acteurs, les acteurs gouvernementaux se heurtant aux méga-majors qui désirent tout contrôler.

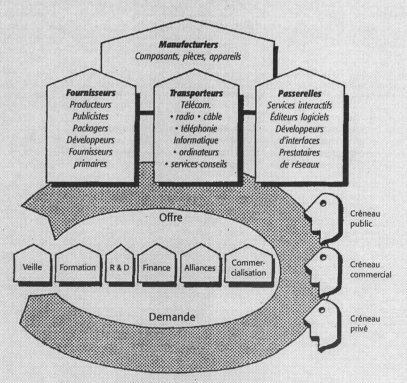

Les structures matérielles et logicielles de cette industrie en voie de développement sont fort complexes, non seulement à cause des nombreuses catégories d'acteurs qui y convergent, mais surtout à cause des inconnues dans ces domaines. On peut penser que son «acte de naissance» est la rencontre des éléments suivants:

> ➤ *trois techniques convergentes: l'audiovisuel, l'informatique et les télécommunications;*
> ➤ *trois modes de communication: mass media, self média et intermédia;*
> ➤ *le contenu et le contenant.*

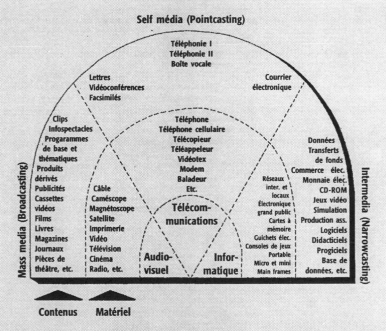

À cause de la tendance technologique vers la convergence et l'hybridation, l'ensemble tend vers un centre idéal : une forme de RNIS.

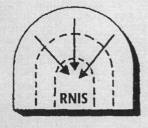

L'industrie du contenu se développe à partir d'un nouveau modèle socio-économique lié aux besoins d'information des groupes de consommateurs. Parce que chaque phase réduit le temps d'accès et les coûts des contenus, elle rejoint un peu mieux des groupes de consommateurs de plus en plus spécifiques. C'est un modèle «boule de neige». En augmentant sa taille, le réseau se rend plus attractif. L'intérêt d'être connecté est d'autant plus grand que la taille du réseau est élevée ; l'attraction détermine le volume des nouveaux arrivants. C'est la «spirale positive» ou «cycle de feedback positif» dans les affaires où le succès appelle le succès.

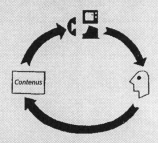

A. Gestation. *Différents acteurs développent diverses machines à communiquer pour les offrir à des consommateurs. Si ceux-ci les utilisent pour répondre à certains besoins, alors une spirale s'amorce. Certains consommateurs, à la recherche de nouveaux contenus, vont chercher à se les procurer auprès des fournisseurs.*

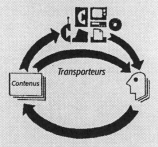

B. Croissance. *L'offre ayant été sollicitée, les fournisseurs diffusent encore plus de contenus, en empruntant les réseaux mis en place par les transporteurs qui deviennet la force motrice imposant son dynamisme. Ainsi, le trafic amorcé durant la phase précédente augmente, favorisant une baisse des prix qui permet*

de rejoindre plus de consommateurs. La spirale de la demande est alors lancée.

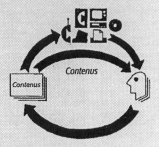

C. Maturité. À cause de l'amélioration des réseaux et de l'ajout des nouvelles machines à communiquer, de nouveaux consommateurs découvrent de nouvelles applications ou services. C'est la phase de la multiplication des contenus. Plus les promoteurs créent de nouveaux contenus, équipements ou réseaux, plus ils ratissent large, ce qui permet de provoquer de nouvelles demandes.

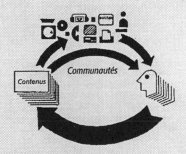

D. Vieillissement. La prochaine phase pourrait être celle des groupes qui désirent se doter de réseaux répondant à leurs besoins. Dans un groupe, non seulement le membre en demande et en redemande, mais il convainc ses pairs de faire de même. Plus il y a de gens qui se joignent au groupe, plus il y a d'intérêt de la part des membres participants et plus le bien collectif augmente mais, en même temps, il encourage une forme d'individualisation.

➤ Les inforoutes constituent un nouveau circuit entre les fournisseurs de contenus (applications, services, programmes, documentation) et le consommateur, donc des réseaux qui se métamorphosent en places de marché électroniques.

➤ Elles gèrent l'offre et la demande par des transactions en temps réel.

➤ Elles utilisent l'écran à la fois comme fenêtre (pour découvrir le monde) et comme machine à sous (pour vendre ses contenus).

➤ Elles font émerger une industrie du contenu dont l'économie repose sur le péage à la consommation d'informations que permettent les boîtiers-compteurs (tout comme l'eau et l'électricité).

➤ Elles diffusent des informations qui affectent toute la société.

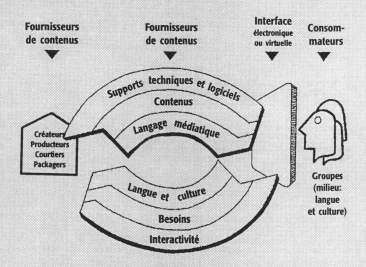

L'industrie du contenu se développe non seulement à cause de la convergence technologique, mais surtout à cause de la convergence médiatique qui se fait par étapes: l'hypertexte, le multimédia, le plurimédia, les environnements «intelligents», etc.

Chaque étape voit la quantité d'informations augmenter considérablement. Certaines productions de l'étape précédente (mass media) sont reprises et rediffusées via les NTIC et les inforoutes (contenus en ligne et hors ligne).

À chaque étape, la quantité et surtout la variété des publics de consommateurs se multiplient (demand pull). Le rythme de succession des vagues des micro-marchés deviendra le régulateur de l'industrie du contenu. La rencontre des deux masses critiques, informations et consommateurs, signalera le début de l'essor économique de cette industrie, base de la société de l'information émergente.

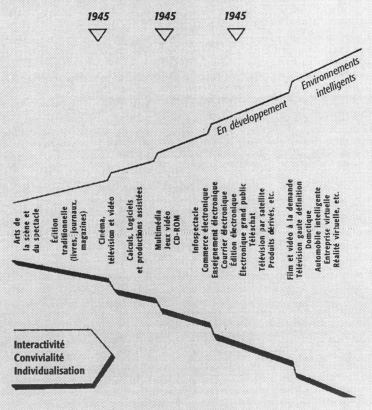

Parce que ces technologies sont dotées d'un caractère décentralisateur et qu'il existe une forte tendance à la personnalisation, on assiste à une individualisation de la demande, c'est-à-dire à une segmentation des contenus correspondant à une segmentation des publics qui deviennent de plus en plus ciblés.

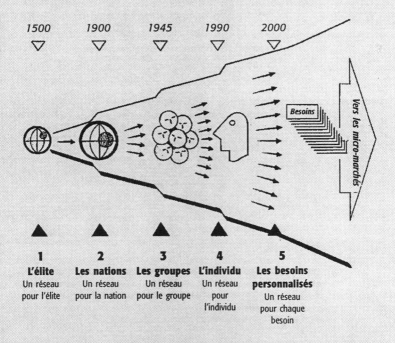

1500	1900	1945	1990	2000

1	**2**	**3**	**4**	**5**
L'élite	**Les nations**	**Les groupes**	**L'individu**	**Les besoins personnalisés**
Un réseau pour l'élite	Un réseau pour la nation	Un réseau pour le groupe	Un réseau pour l'individu	Un réseau pour chaque besoin

1. Vers la fin du Moyen Âge et à la Renaissance, seule une élite était informée.

2. L'ère industrielle I (1733-1945) multiplie les informations destinées aux membres de la nation, surtout grâce aux journaux bon marché et au cinéma.

3. Avec l'ère industrielle II (1945-1990), les mass media, la radio puis la télévision multiplient encore une fois la quantité d'informations qui sont destinées à un usage international et au plus grand nombre de consommateurs. Mais l'apparition de l'informatique et des télécommunications rend possible une fragmentation des grands auditoires en une multitude de groupes qui exigent des informations mieux ciblées pour leurs membres.

4. *Depuis 1990, les NTIC et les inforoutes permettent de rejoindre le citoyen-consommateur et de lui offrir une quantité d'informations qui s'est encore une fois multipliée.*

5. *Demain, on cherchera à rejoindre non pas l'individu mais on voudra plutôt répondre à certains de ses besoins spécifiques; cela ouvre la voie à la création d'une multitude de chaînes thématiques, probablement autant de chaînes que de besoins. De façon utopique, chaque foyer pourrait disposer d'un canal où chacun pourrait visionner ce qui lui plaît à l'heure désirée (hypothèse des environnements «intelligents»), ce qui confirme la tendance des micro-marchés.*

5

Les marchés

Ce sont les nouveaux marchés qui donneront naissance à la société de l'information et non les réseaux; en fait, la grande révolution à venir est la découverte de nouvelles applications inattendues, plus de 50% des marchés prétendent certains. Le Net n'est pas le fait de 50 millions d'individus mais de centaines de milliers de groupes d'intérêts rassemblant quelques centaines ou milliers de participants. Il y aura toujours des «touristes» qui surferont les réseaux, mais le consommateur type cherchera plutôt des services personnalisés à partir d'une marque de commerce connue. Actuellement, Internet et le Web demeurent un environnement **complexe** au point de vue technique et **compliqué** à l'usage. Malgré ses 50 millions d'utilisateurs, Internet et le Web ne peuvent être considérés comme un phénomène de masse à l'échelle mondiale. Ces réseaux ont attiré les gens financièrement aisés et bien éduqués, des *early adopters-technology pioneers* aimant utiliser les NTIC avant les «autres»; maintenant il faudra convaincre les personnes de 40 ans et plus, les femmes, la classe moyenne, etc., d'utiliser ces technologies pour accéder aux nouveaux marchés en ligne.

Ce chapitre traite surtout de l'offre par des promoteurs de contenus interactifs aux consommateurs, c'est-à-dire d'activités transactionnelles avec péage a la consommation. Certins analystes croient qu'il y a des bénéfices potentiels énormes pour ces nouveaux marchés[1], tandis que d'autres n'y croient pas du tout, du moins pas à court terme, c'est-à-dire pas avant au moins l'an 2000. Ces pessimistes parlent plutôt de besoins indéfinis (*unarticulated needs*). En juin 1993, à Miami, le titre d'un colloque des fournisseurs américains de services grand public était *Est-ce que Madame Jones appuiera sur le bouton?*, et la réponse semblait alors être négative à court terme. Cependant, nous n'en savons rien faute d'étude sérieuse de la demande des éventuels consommateurs. Cependant, les expériences en cours révèlent:

> ➤ que ce marché se développe par une succession de vagues d'applications ou de services;

> ➤ que ce marché est peut-être important quantitativement mais, qu'il demeure actuellement inélastique, à cause des prix peu élevés que le consommateur est prêt à débourser;

> ➤ que les trois ou quatre prochaines années seront surtout consacrées aux développeurs de systèmes et de réseaux plutôt qu'aux fournisseurs de contenus;

---

1. L'Association américaine de la publicité sur le câble (CAB) prévoit que les recettes du câble vont passer de 36% en 1993 à 42% en 2003, par rapport aux autres postes qui diminueront d'autant: location ou vente de cassettes vidéo, cinéma, jeux vidéo, etc.

> que les projets de services interactifs grand public mis en place aux États-Unis depuis un an connaissent des difficultés de démarrage dues principalement au choix des contenus et non aux techniques utilisées, l'obstacle majeur étant le fait que l'utilisateur moyen ne comprendrait pas suffisamment ce qu'est un média interactif;

> que ce sont surtout les services commerciaux destinés aux entreprises qui semblent bien démarrer à l'heure actuelle.

Beaucoup d'analystes pensent qu'**éventuellement** les services en ligne constitueront la meilleure source de revenus[2]. Voici la situation actuelle aux États-Unis en 1995 et les prédictions des analystes[3] concernant la pénétration des nouveaux services en 1999-2000:

1995		1999		2000	
Vidéo à la demande	28%	Vidéo à la demande	30%	Infospectacle et vidéo	86%
Téléachat	28%	Infospectacle	30%	Éducation	68%
Jeux vidéo	14%	Téléachat	30%	Information sur mesure	68%
Services de base	12%	Éducation	30%	Téléachat	47%
Éducation	10%	Jeux vidéo	15%	Informations sportives	35%
Information	8%			Jeux vidéo	34%

Plusieurs de ces nouveaux marchés ont déjà été identifiés en Amérique du Nord. Certains ont démarré depuis quelques années et évoluent actuellement (A), tandis que d'autres sont mis en place ces temps-ci (B) et que certains démarreront commercialement plus tard (C):

---

2. Une moyenne de 20$ par mois par foyer américain (potentiel de 93 millions de foyers).
3. Union internationale des télécommunications, 1995; Probe Research, 1995; Chilton Research, 1995.

A *Déjà en activité*	B *En démarrage*	C *En devenir*
Transactions bureautiques élec. Édition électronique	Services téléphoniques II Communication mobile Commerce électronique	Entreprise virtuelle Monétique Industrie de la langue Bureautique intégrée
Électronique grand public Jeux vidéos Infospectacle	Produits dérivés Services téléphoniques II Téléachat CD-ROM multimédia Courrier électronique Commerce électronique Télévision par satellite	Films/vidéos sur demande Domotique Automobile intelligente Réalité virtuelle TV haute définition

Le marché militaire (1942). — Les premiers ordina-teurs furent développés pour servir l'armée américaine, notamment pour établir les tables balisti-ques pour les canons. Même si ce marché est toujours secret, il est d'une telle ampleur qu'on se rend rapidement compte de son importance; par exemple, plus de la moitié des fonds requis depuis une décennie pour développer les images de synthèse et la réalité virtuelle proviennent de sources militaires. Internet fut aussi à ses débuts un projet de l'armée américaine. L'analyse de ce marché serait inté-ressante car elle révélerait les convergences entre les techniques en voie de développement: laser, satellite, GPS, communications sans fil, ordinateurs de toutes sortes, etc. Souvenons-nous de ce que cette armée a bien voulu nous montrer lors de la guerre du Golfe; celle-ci et la guerre des Falkland ont révélé que les prochains conflits s'appuieront en grande partie sur les NTIC.

Un exemple de la prochaine étape: le matériel personnel du cyber-fantassin de l'an 2000 déjà à l'essai:

➤ une armure légère le protégeant contre les armes nucléaires et bactériologiques, com-prenant un ordinateur intégré identifiant les amis et surtout les ennemis, détectant les mines, lui révélant sa position (*GPS*), etc.;

> ➤ un casque intégrant un petit écran vidéo pour la communication et la lecture des cartes, avec voix intégrée, et collectant des informations sur le terrain pour être relayées vers l'état-major;

> ➤ un fusil avec lecture thermique et vision de nuit, un viseur permet-tant au soldat de tirer sans s'exposer, etc.

A. Les marchés déjà en activité

L'électronique grand public (1970) (consumer's electronic). — Ce marché comprend des activités de loisirs utilisant le magnétoscope, le baladeurs, la console de jeux, etc., des activités de consommation grâce aux cartes à mémoire, aux guichets automatiques, etc., des activités auxiliaires de travail grâce aux téléphones cellulaires, aux fax, etc. Ces activités ont récemment connu un essor grâce à la levée de barrières technologiques dans les domaines du stockage et de la transmission des données; en 1994, au salon de Las Vegas, 40 000 produits étaient présentés par 1700 exposants. C'est un marché qui convergera avec d'autres à mesure que les nouvelles niches se développeront.

Les jeux vidéo (1972) (logiciels de distraction et d'amusement, video game). — Ce sont les jeux de rôle (aventure, fiction, donjons, etc.), d'adresse (baseball, hockey, tennis, golf, etc.), de damier (échec, go), de simulations (guerre, course, combat, etc.). Ce marché a déjà connu trois grandes étapes: la première débute avec PONG en 1972, puis les autres arrivent en 1986 et 1988[4]. Maintenant, une quatrième étape démarre grâce

---

4. On se souvient des succès de cette époque: Pac Man, Space Invaders et, plus récemment, de Donkey Kong, Mario, Aladdin et de Mortal Kombat.

au passage des appareils de 8 à 16 et 32 bits[5] permettant des intrigues à plusieurs niveaux d'intervention (jusqu'à sept paliers progressifs de difficulté). C'est un marché qui vend énormément d'appareils[6], de logiciels et de cassettes. En 1995, aux États-Unis, cette industrie rapportait plus de 5 milliards de dollars.

Actuellement, les deux principaux handicaps de cette étape sont l'incompatibilité entre les différentes consoles et un univers fonctionnant uniquement en anglais. Ce marché est déjà lié à l'électronique grand public et aux produits dérivés[7] car il représente 50% du marché mondial des jouets[8]. Aux jeux d'arcades[9] succèdent maintenant des centres thématiques de jeux virtuels qui sont une combinaison de super-micro, de réalité virtuelle et de récit fantastique.

La prochaine étape sera celle des appareils à 64 bits, de leur convergence avec les techniques du CD-ROM, les inforoutes (les réseaux offrant des jeux comme le Sega Channel, Xband, ImagiNation, les jeux de type

---

5. Le PlayStation de Sony, le 3DO de Panasonic et le Saturn de Sega donnent accès à un univers hyperréaliste grâce au microprocesseur 32 bits sous architecture RISC et au passage des formes 2D vers le 3D (des *sprites* aux ensembles de polygones liés par des règles).

6. Des jeux vidéo pour adultes, des jeux vidéo pour enfants, des systèmes multimédia, de petits jeux portatifs (à la *game boy*), des cartouches, des consoles, des disquettes, des jouets électroniques et des ordinateurs jouets, des jeux éducatifs, etc. Par exemple, les diverses aventures de Mario ont fait vendre 117 millions de jeux à travers le monde rapportant autant que toutes les sociétés de production cinématographique réunies en 1995.

7. Manches à balai, télécommandes, cartouches, tapis et gants interactifs, lunettes, magazines, etc.

8. Les deux géants japonais, Sega et Nintendo, ont capturé 90% du marché mondial; celui-ci a généré des profits de 100 milliards de dollars en 1993, et 200 millions furent réinvestis en recherche.

9. En 1994, les jeux d'arcades ont généré 5 milliards, soit deux fois plus que tous les casinos de Las Vegas réunis.

MUD), de nouvelles cartes modem, l'ouverture d'un marché orienté vers les adultes[10] et éventuellement la réalité virtuelle.

Les transactions bureautiques électroniques (1972) (office of the future). — Ce marché, destiné aux entreprises commerciales, se développe par étapes cherchant à améliorer la productivité. La première phase fut celle de la bureautique: rédaction de courrier et comptabilité sur des *main frames*. La phase suivante devint un peu plus sophistiquée: édition typographique de texte administratif, impression laser et tableur sur appareils dédiés.

La phase actuelle utilise des réseaux locaux (*LAN*, Intranet) et évolue vers des services de communication: messagerie électronique, transferts de fonds, télétransactions, échanges de documents, facturation et inventaire en temps réel, contrôle des agendas, etc. Cette phase ajoute les vidéoconférences, la veille commerciale, la téléformation et amorce la délocalisation du travail et le télétravail en équipe (*groupware*) exigeant des techniques plus sophistiquées de cryptage.

Plus tard viendra le développement d'entreprises virtuelles rendues nécessaires par la continentalisation et la mondialisation des marchés et une économie intégrée.

La télébourse (*armchair banking and investing*) est un bon exemple de micro-marché dans ce secteur et du passage du contrôle du processus de prises de décision du producteur-diffuseur, la maison de courtage dans ce cas-ci, vers l'utilisateur. Déjà en 1996, presque tous les grands marchés boursiers sont accessibles par Internet. On évalue à plus de 800 000 le nombre de

---

10. En 1992, 62% des consommateurs avaient entre six et dix-sept ans, en 1994, la moitié des consommateurs devenaient des adultes, ils étaient d'anciens enfants de la première génération de jeux.

comptes ouverts par des investisseurs auprès de courtiers en ligne et on pense que ce chiffre doublera l'an prochain. Cela semble modeste par rapport aux 60 millions de comptes conventionnels ouverts auprès des maisons de courtage classiques, mais ces chiffres indiquent l'éventuelle importance de ce micro-marché surtout quand on considère que le nombre d'Américains possédant des parts est passé de 5% à plus de 20% cette année. Les services en lignes sont:

> ➤ le monitoring d'un portfolio;
>
> ➤ l'achat et la vente à commission;
>
> ➤ l'accès aux banques de données d'informations financières;
>
> ➤ la consultation de listes de valeurs recommandées;
>
> ➤ la lecture de lettres de conseils en investissement;
>
> ➤ des services gratuits de cotation (avec 15 minutes de retard);
>
> ➤ la sollicitation de souscription, etc.

L'infospectacle (depuis 1975) (infotainment, télévision à la carte, télévision interactive, TVI). — La réception d'émissions de télévision de toutes sortes à partir du téléviseur domestique (*sitcom, talkshow, reality show, soap*, etc.), conçues généralement comme un service de base financé mensuellement. C'est un marché qui englobe maintenant les chaînes thématiques payantes (éducation, voyages, religion, découvertes, musique, etc.). Ce marché converge aussi avec la location des cassettes vidéo en attendant l'étape des vidéos téléchargés à la demande, et convergera avec la télévision par satellite d'ici quelque temps.

Dans le secteur des services d'information télévisée, signalons l'émergence d'un autre micro-marché, les services d'information télévisée en continu doublés d'un service d'information interactif (bulletins d'information, magazines électroniques, consultations d'articles de presse et d'images, courrier électronique avec les journalistes, etc.)[11]. Ce canal spécialisé puise à même les ressources disponibles sur les chaînes générales et converge avec les services d'édition électronique des éditeurs de grands journaux; c'est donc un service de faible coût pour les fournisseurs.

L'éducation électronique (1981) (EAO, EGO, edutainment, application pédagogique de l'ordinateur ou APO, téléformation). — Ce marché offre un support à l'enseignement traditionnel, à l'éducation continue (donc pour les adultes) et à la formation professionnelle, grâce à des systèmes télématiques et à des logiciels dédiés à cette pédagogie: dialogues interactifs, création de contenus appropriés, gérance de l'apprentissage et des dossiers étudiants, possibilité de tutorat, etc. L'éducation assistée par NTIC devra préparer les enfants au nouveau monde qui sera le leur, en particulier à naviguer dans la connaissance. Ce marché est appelé à se développer au fur et à mesure des mutations en cours dans notre société, et il sera probablement développé par des majors à cause du peu d'intérêt actuel des institutions scolaires pour ce type de production. En 1994, aux États-Unis, les titres du secteur de l'*edutainment* ont augmenté de 30%; signalons que 80% des gens qui veulent acheter un micro-ordinateur le feront surtout pour l'éducation de leur enfant.

L'ordinateur-professeur et l'ordinateur-répétiteur font place maintenant à l'outil de création de contenu, mais le principal défi de ce marché demeure encore la qualité pédagogique des contenus; quant à l'«école virtuelle», ce n'est qu'une vue de l'esprit pour l'instant.

---

11. Voir la chaîne CNN, la chaîne ABC, le projet News Corp de Murdoch et le projet MSNBC de Microsoft/ NBC.

*L'édition personnalisée (1985) (édition sur de-
mande, desktop publishing, PAO, e-book, universal
electronic book, e-zine ou electronic-magazine).* ⎯
Ce marché comprend la création et l'aide à la rédaction,
l'édition à la demande, l'hypermédia, la nouvelle production imprimée: journaux[12], magazines, etc.[13] Ce marché concerne les imprimeurs, les éditeurs traditionnels,
les journaux, etc. L'étape actuelle a vu le glissement de
l'éditeur papier vers l'éditeur électronique: le passage de
l'encre au pixel, c'est-à-dire de l'analogique au numérique, la convergence vers le multimédia, la montée de la
pré-impression grâce à l'apparition de stations de *desktop
publishing* de haut niveau et de nouvelles façons de traiter
les images (scanner, etc.) Déjà, quelques grands journaux
offrent des versions électroniques de leurs contenus
et amorcent de nouveaux services: lettre à l'éditeur,
demandes supplémentaires d'information, ventes de
dossiers, etc.

Malgré le conservatisme du milieu, la pro-
chaine étape s'annonce déjà: des techniques *direct to plate
technologies*, des liens étroits entre l'impression et le support CD-ROM, le marquage de documents devenant
«intelligents», c'est-à-dire plurimédias, l'impression non
plus locale mais en réseau, l'impression personnalisée,
c'est-à-dire une production à la demande donc multi-
consommateurs, et des techniques d'impression à haute
vitesse.

La phase suivante comprendra de nouvelles
formes de mise en page[14], une distribution de la produc-

---

12. En 1994, plus de 450 journaux et magazines ont une
version électronique (la moitié sur Compuserve); exemple: *Time, US News and World Report, Chicago Tribune*, etc.
13. Voir le nouveau bond en avant créé par le groupe
«Document Alliance» qui regroupe les 50 compagnies
les plus importantes dans ce secteur: Xerox, AT&T, etc.,
autour du concept de plurimédia. Voir *Beyond Paper*, 1993.
14. Un nouveau rapport entre le texte et l'image, la
présence de plusieurs niveaux de lecture, des efforts de
synthèse et de schématisation graphique, etc.

tion par les inforoutes et par des fax sans fil, les techniques *direct to paper* et une convergence avec le service d'information télévisée en continu.

Le modèle classique datant de l'invention de l'imprimerie, «création-production-diffusion», changera pour une création en un endroit, une diffusion sous forme de données par Internet ou satellite vers plusieurs endroits pour leur reproduction dans d'autres endroits.

Le courrier électronique (1985). — La messagerie, les conférences électroniques, les boîtes aux lettres et boîtes vocales, le journal virtuel, la télécopie, etc. Cette année il y a eu autant de lettres envoyées par courrier électronique que par courrier traditionnel: 85 milliards. C'est un marché qui profite de l'énorme battage médiatique actuel autour de l'Internet de première génération, mais qui ne prendra son essor que s'il englobe les services postaux traditionnels; autrement il se diluera dans presque tous les autres marchés comme fonction de base.

B. Les marchés en démarrage

Les communications mobiles (1987) (personal communication services, cellular communications, telepoint technologies, advanced cordless technologies). — La technique de communication sans fil utilise un numéro de téléphone pour rejoindre chaque appareil: pagette ou téléappeleur, ordinateur sans fil (généralement portable), assistant personnel (*PDA*), *notebook*, télécopieur sans fil, téléphone cellulaire, téléphone à micro-ondes numérique[15], modem sans fil, etc. Les services en voie de développement sont le téléappel, le relais des messages, le fac-similé sans fil, le courrier électronique, la boîte vocale, le transfert de documents, certains types de transactions, le réseau sans fil pour

---

15. Une gamme plus élevée que le téléphone cellulaire sur le spectre; ce téléphone peut être relié directement aux inforoutes.

ordinateur, la radio à la carte, etc. Les services de communications mobiles offrent à l'utilisateur le rêve d'un bureau dans le creux d'une main[16].

L'étape subséquente permettra des services plus sophistiqués grâce à la reconnaissance de la voix et de l'écriture manuelle, d'autres transactions grâce à la carte PCMCIA, et le téléchargement d'images fixes grâce à des microprocesseurs plus puissants.

Les services téléphoniques de deuxième génération (1992). — La vague de déréglementation a fait perdre plusieurs monopoles aux compagnies nord-américaines de téléphone; elle a donc occasionné une perte de profits à laquelle elles n'étaient pas habituées. Outre les services de base (*universal services*), elles offrent maintenant des services plus personnalisés[17], une étape dans l'automatisation du libre-service. La nouvelle étape vise à transformer le combiné téléphonique en télécommande.

La prochaine vague de services convergera avec la reconnaissance de la voix, les guichets automatiques, et surtout avec les communications mobiles, et plus tard la vidéophonie.

Les produits dérivés (1989) (merchandising). — Ce marché comprend la vente de produits accompagnant le lancement de films, tels des livres, des affiches, des objets de toutes sortes[18], la musique de film sur disque ou cassette (il s'est vendu entre 15 et 20 millions de copies

---

16. Voir le rêve de l'ordinateur-portefeuille de Bill Gates.
17. Appel conférence, recomposition continue ou du dernier appel reçu, attente, afficheur, mains libres, deuxième ligne, acheminement ou relais des appels, audiotexte, etc.
18. Par exemple, le tournage du film *Jurassic Park* a coûté 60 millions et 65 millions pour sa publicité, les produits dérivés rapporteront probablement 1 milliard (900 millions en 1995).

de chacun des films *Pretty Woman, Pulp Fiction, The Bodyguard, The Lion King).* Le premier produit dérivé date du film *Star Wars,* depuis ce marché ne cesse de grandir. Et, chose à noter, plus de la moitié de son activité est destinée aux enfants et aux adolescents, histoire de fidéliser les clientèles de demain.

Le téléachat (1992) (marketing interactif, video-shopping, home shopping, electronic malls, electronic retailing, electronic video malls, etc.). — Des services de téléachat à partir d'un écran d'ordinateur ou d'un téléviseur, de systèmes de télé-communication et de monétique, ou à partir d'un kiosque. Étape qui, après la vente par correspondance, fait éclater les modes de distribution traditionnels. Mais ce marché démarre plutôt lentement à cause de différents problèmes non résolus: l'inconnu des comportements des consommateurs, le recours au téléphone, l'insécurité des transactions, etc. «Lorsque les chaînes de télévision seront réellement interactives à la manière des ordinateurs branchés sur réseau, le téléachat dépassera les revenus générés par les émissions de divertissement[19].»

Les CD-ROM multimédia (1993) (vidéocatalogue, borne interactive, etc.). — C'est un support qui s'ajoute aux disques durs et aux disquettes; une sorte d'encyclopédie électronique qui remplacera probablement le magnétophone et le magnétoscope. Les éléments utilisés ne sont pas nouveaux, la recette oui. Un nombre de plus en plus important de titres de CD-ROM[20] et CDI s'ajoutent présentement aux catalogues: jeux, encyclopédies, pornographie, etc. En 1993[21], les ventes d'encyclopédies sur CD ont dépassé en nombre celles des

---

19. Sol Trujillo US West Marketing Ressources, 1994.
20. *Compact Disc-Read Only Memory* ou mémoire sur disque compact pour lecture seulement.
21. C'est en 1982 qu'apparaît le disque compact audio.

exemplaires sur papier. Les projections des marchés américains pour 1996 sont de 12 milliards de dollars de revenu. C'est un marché qui est à la hausse parce que leur manipulation est «naturelle» pour les jeunes et que la quantité de données augmente énormément grâce aux nouvelles techniques de stockage[22], mais qui est ralenti par la bataille des formats[23] et par l'absence de stratégie d'ensemble de la part des distributeurs. C'est un marché du présent et non de l'avenir.

Les spécialistes pensent que le CD enregistrable et effaçable à volonté apparaîtra vers 1998 et que les lecteurs seront intégrés dans les systèmes à partir de 2002. Lorsque les modems à très haute vitesse apparaîtront, ce marché deviendra en transition, car ces contenus seront en grande partie acheminés par les inforoutes. Ce marché convergera avec celui du vidéo à la demande, celui des nouveaux jeux vidéo et des produits dérivés[24].

Deux études[25] ont analysé le marché actuel et celui de 1998 et s'entendent sur les trois premières tendances:

22. Cinq milliards de bits en 1994, plus de 50 milliards après 1996, c'est-à-dire un film de 72 minutes en 1994 et deux films de 4 heures 30 minutes en 1996. Voir le développement des techniques du laser bleu.
23. MCD contre SD-DVD, épisode qui nous rappelle la bataille VHS/Betamax. MCD (CD multimédia) rassemble Sony, Philips, 3M, JVC, etc., tandis que SD-DVD (*Super Density-Digital Video Disc*) est supporté par Toshiba, Matsushita, Time-Warner, Thomson, Samsung, Hitachi, Zenith, etc.
24. La moitié des CD vendus cette année l'ont été sous enveloppe (*bundle*), c'est-à-dire accompagnant un magazine.
25. Dataquest, *New Media*, octobre 1994, p. 55. Market Vision, *New Media*, octobre 1994, p. 58.

1995		*1998*	
Présentation	66%	Présentation	24%
Formation	63%	Formation	20%
Vidéoconférence	25%	Vidéoconférence	23%
Publicité	19%	Groupware	19%
CD-ROM	11%	Traitement de l'inf.	10%
Autres	8%	Management	4%

Le commerce électronique (1994) (e-cash, electronic commerce, cyber cash, digital cash, monétique, etc.). — Utilisation en réseau de cartes à mémoire pour des transferts de fonds: services de paiement électronique, comptes-fournisseurs, taxes, impôts, TPS, etc. Actuellement, 1% seulement des internautes auraient effectués ne serait-ce qu'un achat en ligne. Soixante-dix pour cent des entreprises présentes sur le Web n'y sont que pour leur «image» et 40% pensent qu'elles connaîtront peut-être un retour économique dans deux ans. Un marché qui démarre lentement, l'analyse des comportements étant inexistante, les problèmes de sécurité énormes et les clientèles méfiantes (à cause du mythe de *Big Brother*). Il n'est pas sûr que le consommateur accepte facilement de payer par ce moyen de paiement même s'il identifie actuellement le gain de temps et de commodité par l'accès aux guichets. La phase suivante sera celle du porte-monnaie électronique (*electronic wallet*). Il y aura alors convergence entre le commerce électronique et le téléachat. D'ici ce temps, différentes techniques d'argent numérique seront utilisées.

> L'argent électronique (*e-cash, digicash*): un argent (*coin*) électronique que l'utilisateur peut retirer d'une banque électronique pour la charger dans son ordinateur, grâce à une signature électronique.

> Le chèque électronique (*digital checks*): un modèle électronique remplacant le chèque papier et utilisant une signature digitale codifiée.

> ➤ La carte à mémoire (*smart card*): une carte de plastique incrustée d'une puce qui contient un montant pré-payé par une banque et qui sert de système de débit.

> ➤ Le coupon électronique (*electronic coupon and token*): un coupon électronique remplaçant le coupon papier permettant des rabais lors d'un achat dans un super-marché.

> ➤ Le cyber-dollar (*cyber-buck*): une monnaie virtuelle servant au troc entre des internautes et remplaçant les paiements en espèces sonnantes.

La télévision par satellite (1995) (*direct broadcast satellite*). — Le rêve d'inonder les foyers nord-américains démarre cette année avec DirectTV (Hughes) aux États-Unis et avec ExpressVu au Canada. Elle ajoute ses contenus à ceux de la télévision traditionnelle moyennant l'achat d'une soucoupe. Les spécialistes ne prévoient pas que ce marché entamera celui de la télévision traditionnelle car les deux offriront à peu près les mêmes contenus; en revanche, il aurait du succès auprès des consommateurs insatisfaits des services câblodistribués.

C. Les marchés en devenir

La prochaine génération de services sera celle des environnements intelligents. Voir aussi les industries de la langue.

Les films et les vidéos sur demande (+1996) (*movies and video on demand, ou à la carte, home cinema*). — La vidéo sur demande est le prolongement du *pay-per-view*[26], c'est une étape vers une consomma-

---

26. HBO propose des films par abonnement mensuel depuis 20 ans déjà.

tion cinématographique au foyer ou cinéma maison: un salon converti en salle multimédia grâce à l'intégration d'un téléviseur à écran géant, d'un magnétoscope haute fidélité et stéréo, d'un lecteur de CD, d'enceintes acoustiques, de récepteurs ambiophoniques, etc. Les promoteurs attendent beaucoup de ce marché.

La domotique (+2002) (smart house, smart building, home automation systems, immotique, édifice intelligent). — Ces services se développent indépendamment les uns des autres depuis plus de dix ans, mais l'automatisation et l'intégration de l'électroménager avec la télémaintenance, l'infospectacle et une forme de télétravail ne se feront que lorsqu'un bus domestique[27] sera accepté par tous les acteurs de l'industrie, donc pas avant cinq ou sept ans. D'autant que les spécialistes ne prévoient pas l'installation d'une fibre permettant un grand débit jusqu'au foyer avant cette période (le problème du dernier kilomètre), notamment à cause des luttes entre les câblo et les telco pour la fidélisation de leurs clientèles. Les autres handicaps sont l'absence de *killer applications* et le prix encore trop élevé de ces services. Ce marché est énorme, il couvre le nouveau marché résidentiel, les tendances du cocooning, la rénovation des foyers existants (notamment l'importante économie d'énergie dans nos climats nord-américains rigoureux) et l'aménagement de logements pour personnes à capacité restreinte (à cause du vieillissement de la population). Ce marché offrira les services de base à revenus mensuels, les services à valeur ajoutée aux revenus à la pièce et des services provenant de l'extérieur grâce aux inforoutes. Une étude a analysé le marché vers 2002[28]:

---

27. Intégrant le fil téléphonique, le câble coaxial, les communications à l'infrarouge ou radio, etc. Probablement le CEBus développé par la *Electronic Industry Association.*
28. *Forum95* de Parks Ass., octobre 1994.

Télévison	50%	Gérance d'énergie	16%
Films sur demande	27%	Gérance de sécurité	12%
Magnétoscope virtuel	25%	Télé-éducation	7%
Internet	18%	Téléachat	4%
Services d'information	16%		

L'automobile intelligente (+2005) (smart car, intelligent vehicle highway systems). — Divers services sont développés indépendamment les uns des autres et par étapes depuis plus de dix ans par tous les grands manufacturiers de l'automobile: gestion électronique du moteur et monitoring de la maintenance, alarmes, aide au pilotage, cartes géographiques sur CD-ROM et assistance au choix d'itinéraire, radiorepérage ou *GPS*, système anticollision (radar), routes balisées, etc. Mais leur intégration, considérée comme un luxe aujourd'hui, ne deviendra un marché que lorsque l'augmentation des problèmes causés par le trop grand nombre d'autos dans nos grandes villes le rendra nécessaire.

La réalité virtuelle (+2005-2007) (Virtual Reality, VR). — Cette technique[29], qui repose sur le concept d'immersion, permet à son utilisateur d'expérimenter un monde tridimensionnel, c'est-à-dire d'intervenir dans un monde d'apparences créé par ordinateur. C'est un domaine qui ne fait que démarrer[30] en dépit du battage médiatique actuel[31]. Certains s'en servent déjà pour vendre de l'équipement (une cuisine par exemple) ou simu-

---

29. Les premiers gants et lunettes (très lourdes) ont été développés à partir de 1985.
30. Avec le casque (ou visière), il subsiste de nombreux problèmes de performance dus au manque de synchronisme de fonctions devant opérer à 30 images seconde: la nausée, le mal de mer ou mal des transports, le vertige, le mal de cou, la désorientation, causés par l'opposition entre ce que l'œil perçoit et ce que l'utilisateur pense qu'il devrait voir.
31. Voir les films *Lawnmowner Man*, *Total Recall*, *Disclosure*, *Virtuosity*, etc.

ler une activité (une intervention chirurgicale, etc.). Ce n'est que maintenant que les premiers appareils commerciaux à prix populaires apparaissent. Dans certains cas, des systèmes sophistiqués sont réunis dans des centres thématiques ressemblant aux arcades actuelles. Les recherches en cours essaient de simuler les sensations de la force (tirer, pousser, lever), d'intégrer des senseurs dans des vêtements devenant «intelligents», de surimposer des images synthétisées sur des images réelles, etc. Le marché le plus susceptible de prendre son essor, outre celui des militaires, est celui des jeux, donc une nouvelle convergence avec le marché des jeux vidéo ou du moins ce qu'ils deviendront alors. Les nouvelles versions sophistiquées et commerciales n'existeront probablement pas avant 2005-2007.

6

Le consommateur

Dans ce chapitre...
➤ Les cultures des différentes
   générations de consommateurs
➤ Les nouvelles logiques de consommation

Des trois principaux éléments formant les inforoutes et l'industrie du contenu, le réseau de réseaux, les contenus et les consommateurs, ce sont ces derniers qui sont les moins bien connus actuellement. Les promoteurs les considèrent comme des êtres informivores, quand ils devraient plutôt les considérer comme des cibles mouvantes, c'est-à-dire dont on ignore les intentions. Le point faible de l'industrie du contenu est la déficiences des analyses concernant la demande. À ce chapitre, les mutations en cours sont:

➤ le passage de la génération précédente, quelques utilisateurs experts, vers une masse d'usagers novices qui doivent s'alphabétiser à cette interactivité;

➤ l'émergence d'une génération de jeunes consommateurs (enfants et adolescents) pour qui l'utilisation des inforoutes est «naturelle», génération qui deviendra d'ici cinq ans un levier économique important;

➤ la fragmentation du vaste public anonyme mass-médiatique en auditoires spécialisés, puis leur passage vers une individualisation des services: les micro-marchés;

➤ l'arrivée par vagues de nouveaux services en ligne exigeant une plus grande réactivité de la part des entreprises;

➤ le concept de 500 canaux devient inutile quand le consommateur peut commander ses contenus lui-même;

➤ l'utilisation accrue, parce qu'électronique, de trois techniques de manipulation des esprits: la publicité, les sondages et le marketing.

Le terme de consommateur recouvre une grande diversité de personnes aux besoins et aux attentes hétérogènes, autant des personnes morales, comme une entreprise ou une université, que des personnes physiques, comme tel ou tel citoyen consommateur. Les différents types d'inforoutes sont autant d'espaces publics habités par des gens ou des institutions à la logique de consommation différente:

➤ les grandes clientèles des inforoutes grand public;

➤ les entreprises, les industries, les institutions gouvernementales et les groupes professionnels utilisant des inforoutes commerciales;

➤ les groupes d'intérêts sociaux, spécialisés ou régionaux, utilisant des inforoutes privées.

Être consommateur est une pratique culturelle, car le consommateur n'achète pas une technique mais un contenu. C'est parce qu'un être humain a autant de «soi sociaux» qu'il existe de groupes distincts de personnes dont l'opinion lui importe qu'il passe d'une inforoute à

Un caricaturiste américain illustre la place qu'occupe
actuellement le consommateur sur l'inforoute.

l'autre en s'adaptant à l'architecture et aux codes de communication en vigueur dans chacune. Durant les années 1960, les mass media ont suscité l'illusion d'une seule grande catégorie de consommateurs, la «majorité silencieuse» formée d'usagers anonymes et passifs. Les contenus devaient alors être faits pour être vendus au plus grand nombre de gens. Parce qu'ils sont décentralisés et personnalisés, les nouveaux services interactifs devraient susciter plusieurs nouvelles catégories de consommateurs. Et si on pousse cette hypothèse plus loin, en sachant qu'un même utilisateur a des besoins différents, on peut même penser que la demande de services et d'applications pourrait devenir très importante un jour: c'est l'hypothèse de l'électronique grand public et des micromarchés. Bill Gates veut «qu'il y ait un ordinateur sur chaque bureau et dans chaque foyer dans moins de cinq ans[1]». Il y a environ douze ans, Steve Job, Bill Gates et d'autres prédisaient que nous atteindrions un jour l'ère d'**une personne, un ordinateur**. Coïncidant avec l'arrivée des premiers micro-ordinateurs, cette prédiction ressemblait à une blague ou, à tout le moins à une exagération. Mais, à mesure que les microprocesseurs rendent les objets de plus en plus «intelligents», que l'ordinateur se banalise et que les machines à communiquer coûtant 250-500$ arrivent, cela pourrait devenir une réalité d'ici le tournant du siècle, pense-t-on.

Les cultures des différentes générations de consommateurs

L'un des défis les plus intéressants concernant les inforoutes est l'analyse des générations futures de consommateurs, car cette analyse pourrait nous aider à mieux cerner les demandes éventuelles. Plusieurs recherches,

---

1. Bill GATES, août 1993, revue du Nadasq. Il veut faire pour l'ordinateur ce que Ford a fait pour l'automobile. Soulignons qu'on a fabriqué et vendu 200 millions de micro-ordinateurs dans le monde entre 1980 et 1995, dont 60 millions en 1994.

réalisées à partir de l'analyse de l'évolution démographique, ont étudié ce problème[2]. Elles voient un changement de comportement important entre les adultes actuels et ceux de demain, c'est-à-dire les adolescents d'aujourd'hui. Les termes anglais ci-dessous sont empruntés aux analyses américaines.

La GI Generation *(les 72-95 ans, nés entre 1901 et 1924)*. — Une génération travaillant à long terme, des optimistes développant les grandes institutions comme les banques et les universités. Ce sont des gens disciplinés capables de gérer de grands projets en s'appuyant sur les cadres institutionnels et les technologies. Ce sont les enfants de la Première Guerre mondiale et de la «Belle Époque», marqués par le cinéma, le jazz et les classiques. Ils ont vécu une enfance plutôt rigide et sont traditionnalistes. Cette génération a vécu de grandes difficultés économiques pour connaître ensuite la prospérité (exemples américains: Ronald Reagan et George Bush).

La Silent Generation *(les 54-71 ans, nés entre 1925 et 1942)*. — Une génération d'experts intéressés par l'analyse des processus complexes, s'adaptant aux grands changements sociétaux et politiques par l'utilisation des analyses des besoins, des sondages et des comités. Ce sont les enfants des «Années folles», de la Crise et de la Deuxième Guerre mondiale, marqués par la radio. Ils ont vécu une enfance très heureuse qui leur fournit leurs principaux repères culturels. Cette génération a connu de grandes difficultés économiques et s'en est sortie à force de travail, aidée il est vrai par la Deuxième Grande Guerre (exemples américains: Jesse Jackson et Ted Kennedy).

---

2. Les études de l'Américain Neil Howe, auteur de *Generation*, de l'économiste torontois David Foot, et de Suzan Hayward de Yankelovich, Clancy, Shulman, consultante new-yorkaise en marketing.

La Boomer Generation (les 36-53 ans, nés entre 1943 et 1960). — Une génération d'idéalistes aimant relever les défis à partir de l'analyse de leurs valeurs. Actuellement, ils détiennent les rênes des partis politiques, des médias, du mouvement syndical, etc. Leur grand nombre a causé des changements majeurs: une pénurie de logements, le développement des banlieues, la multiplication des écoles et des collèges, etc. Préoccupés par la génération suivante, leurs enfants, ils sont enclins à développer les systèmes scolaire, politique ou de santé, même si les changements leur feront mal. Cette génération a vécu dans la prospérité et n'est pas prête aux difficultés qu'occasionnent les récessions actuelles. Ce sont les enfants de l'après-guerre, du rock'n roll et des mass media. Leur culture est nourrie par ce qui leur semble bien ou mal: c'est une génération lyrique, la génération du moi (*Me Generation*). Ils sont aux prises avec de grandes difficultés économiques qui resurgissent et qu'ils sont incapables de maîtriser (exemples américains: Bill Clinton et Al Gore).

La culture de l'utilisateur moyen de cette génération. — Beaucoup d'analystes perçoivent l'existence non pas d'un seul type d'utilisateurs mais de plusieurs:

> ➤ *l'expert*: celui qui connaît très bien les arcanes internes du système employé;

> ➤ *l'expérimenté*: l'utilisateur productif parce que possédant une bonne expérience du système;

> ➤ *le novice*: l'utilisateur possédant un peu d'expérience des NTIC, mais peu familier avec le système ou le service offert;

> ➤ *l'inexpérimenté* (*naive user, casual user, computer-shy user, newbies*): le débutant non familier avec la culture informatique en général.

Ces types d'utilisateurs apparaissent chronologiquement dans l'ordre décrit ci-haut: les experts (ingénieurs et mathématiciens surtout) étant historiquement les premiers arrivés. Notons aussi que les différents types d'utilisateurs sont intéressés par différents types d'applications émergeant eux aussi par vagues successives; les premiers par des logiciels complexes et les derniers, surtout, par des applications grand public. Selon l'hypothèse de l'informatique grand public, le nombre d'utilisateurs devrait augmenter de façon importante; les utilisateurs novices et inexpérimentés pourraient éventuellement représenter *jusqu'à 50%* des usagers après l'an 2000.

Les résistances sociales. — Les forces de l'offre, conduites par les manufacturiers surtout, sont actuellement tenues en échec par des résistances sociales qui freinent l'essor de l'industrie du contenu. Ces résistances sont de différents ordres.

> ≫ *La technophobie.* — Beaucoup de gens appartenant à la *GI Generation* et à la *Silent Generation* ont peur du *Big Brother* informatique, tandis que la *Boomer Generation* est plutôt rebutée par le jargon spécialisé des interfaces (voir la logique d'utilisation au paragraphe suivant).

> ≫ *L'analphabétisme.* — On ne réalise guère que la lecture représente un casse-tête pour 38% de la population canadienne et que 24% des 55 ans et plus souffrent d'analphabétisme de base ou fonctionnel.

> ≫ *Le manque de temps.* — Le temps consacré aux loisirs n'a guère allongé depuis une décennie, malgré le mythe de la société des loisirs. Le loisir n'est plus vu comme la récompense d'un dur labeur mais comme une nécessité pour combattre le stress

inhérent à la vie en société; pour la plupart des gens, c'est tout ce qui n'est pas le travail au sens strict. Pour une grande partie de la population, le principal loisir demeure la télévision qu'elle regarde en moyenne 23 heures par semaine.

➤ *Le manque d'argent.* — En ces temps économiquement difficiles, le consommateur moyen n'a pas plus de fonds à consacrer à ses loisirs qu'auparavant; on estime cette somme entre 12$ et 15$ par mois et plus pour les classes supérieures.

La réponse partielle à ces résistances sera le développement d'interfaces tenant compte de la logique d'utilisation des utilisateurs et l'éducation aux NTIC à l'école, particulièrement à la nouvelle culture visuelle interactive.

Une logique d'utilisation. — La révolte gronde chez les utilisateurs d'appareils et de services qui sont supposés faciliter le travail. Des objets autrefois familiers comme le copieur ou le téléphone deviennent tellement complexes que la productivité de l'usager, surtout inexpérimenté, s'en ressent. La quantité et la complexité des systèmes augmentent à chaque nouvelle génération; les manuels sont la plupart du temps incompréhensibles et les interfaces rebutantes, etc.; cette complexité d'accès des systèmes et des applications est le signe d'immaturité d'un marché qui n'a pas encore compris ses utilisateurs. Les analyses actuelles du marché nous révèlent que le **temps** est, pour tous les types d'utilisateurs, le facteur critique et que ce problème surgit au niveau de l'interface et de la navigation. L'aspect frustration n'est pas nouveau; ce qui l'est, c'est le nombre de plus en plus élevé de gens impliqués dans cette révolte, parce que le nombre d'appareils «intelligents» augmente de façon considérable ainsi que la quantité d'informations diffusées, comme on l'a déjà dit précédemment. L'interface et la navigation des systèmes et des applications doivent posséder les qualités suivantes:

> ➤ prévisible: l'utilisateur peut anticiper les réactions du système;

> ➤ fiable: le système répond aux attentes de l'utilisateur;

> ➤ transférable: les habitudes acquises dans une situation donnée sont applicables à de nouvelles situations;

> ➤ naturelle: l'interface s'harmonise au processus de compréhension de l'utilisateur, c'est-à-dire à sa logique d'utilisation.

Cette approche emploie la «logique d'utilisation», qui est la somme des expériences de manipulations similaires que l'utilisateur novice ou inexpérimenté à déjà mémorisées. Cette approche est rendue possible grâce au développement d'interfaces spécialement conçues pour le grand public. Tandis que la «logique de programmation», convenant parfaitement aux experts, reflète plutôt la logique de fonctionnement déjà inscrite dans le logiciel par l'ingénieur ou l'informaticien qui l'ont créé.

La culture du canapé. — Les nouvelles machines à communiquer ont développé une culture du canapé (*couch potato*) réclamant pour ses adeptes leurs 23 heures hebdomadaires d'infospectacle. Ses caractéristiques:

> ➤ elle échappe au contrôle de la société qui laisse son développement entre les mains des méga-majors qui associent pêle-mêle les arts, la culture, les sports, le politique et l'économique;

> ➤ elle diffuse ses messages de façon unidirectionnelle à des téléspectateurs qui les reçoivent passivement et anonymement;

> ➤ elle traite l'information sous forme de spectacle (*infotainment*), devenant plutôt

une industrie de la distraction qu'une industrie de l'information;

➤ elle considère le réel comme un spectacle à ressentir, cherchant plus à étonner qu'à communiquer;

➤ elle ne tolère pas la différence, aplatissant les cultures au nom de l'homogénéisation de la production et de la diffusion;

➤ elle modifie complètement l'espace qui semble rétrécir et le temps qui passe trop vite, diminuant le contrôle que pourrait avoir l'utilisateur sur ces deux éléments de base de sa vie en société.

La Thirteenth Generation (les 11-35 ans, nés après 1960). — Parce que les *boomers* ont fait très peu d'enfants, y voyant un frein à leur épanouissement ou un obstacle à leur confort matériel, la génération X n'a pas le poids démographique de la précédente: aux États-Unis, ils ne sont que 48 millions comparativement aux 80 millions de *boomers.* Mais les *teens* (les 13-19 ans, au nombre de 25 millions actuellement) seront deux fois plus nombreux en 2005 ou 2007, plus, en tout cas, que les *boomers* actuels; ils occuperont le devant de la scène et transformeront la culture et l'économie selon leurs valeurs.

Cette génération ne comprend pas la génération précédente qui le lui rend bien en les accusant: *les jeunes ne s'intéressent à rien, ne lisent pas, sont incapables de s'exprimer correctement, ne font pas d'efforts, etc.* Confrontée à la mondialisation de grands problèmes (sida, désastres écologiques, etc.), aux spectacles que lui offre la télévision (sexe, drogue, violence, etc.) et à une famille mono-parentale[3] ou à une famille où les deux parents

---

3. Au moins 25% des enfants en Amérique du Nord vivent sans père à cause des naissances hors mariage et des divorces.

travaillent, cette génération éprouve de la difficulté à se forger une identité. Il y a peu de cours à l'école sur le futur, et quand on parle de celui-ci, il est perçu comme un prolongement du passé. Les jeunes savent un peu d'où ils viennent mais ils ne savent pas où ils s'en vont, c'est là une source d'anxiété. Ils sont souvent lancés dans la vie sans balises culturelles ou morales.

Ils doivent avoir une grande capacité d'adaptation vis-à-vis de leur environnement qui change à un rythme ahurissant: modes vestimentaires et musicales, messages publicitaires, produits de consommation, programmes scolaires, divorces des parents, etc. Des valeurs *boomers* comme le mariage, le travail et le système politique actuel sont remises en cause. Cette génération redécouvre certaines valeurs fondamentales comme la qualité de vie et l'amitié; elle est multiculturelle (actuellement une personne sur trois appartient à une minorité comparativement à une sur quatre auparavant). Curieusement, cette génération s'est dotée d'un univers culturel plus homogène que celui de la génération précédente, par exemple, un enfant français et un autre allemand possèdent plus de traits culturels communs que leurs parents respectifs. Cette génération vit moins bien que les précédentes; elle connaît de grandes difficultés économiques étant aux prises avec des problèmes économiques hérités de la génération précédente qui semble lui barrer la route. Alors que, dans les années 1970, leur niveau de vie était comparable à celui des 40-60 ans, depuis 1980, les jeunes n'ont pas profité de la croissance globale des revenus. Ils sont les principales victimes de la crise, du chômage et de la précarisation de l'emploi. La pauvreté s'est largement répandue parmi eux. Aussi leur devise semble être: *tout avoir, tout de suite.*

Comme différentes sociétés, différentes générations n'ont pas les mêmes réactions aux nouvelles technologies. Comparativement aux précédentes, cette génération est très scolarisée et se sent à l'aise avec les NTIC qui génèrent une culture **du bip, du clip, du rap**

et du zap, c'est-à-dire une mentalité de télécommande, pense-t-on. Elle baigne dans un environnement fait de micro-ordinateurs, de jeux et de cassettes vidéo, de téléphones cellulaires et de CD-ROM, qui semble un luxe aux yeux des *boomers*, c'est la *Nintendo Generation*, dit-on. Ses héros sont ceux que la télévision, les produits dérivés ou le canal MTV lui fournissent.

La culture des jeunes. — La question est la suivante: Et si les jeunes d'aujourd'hui devenaient dans cinq ans des *consommateurs différents* des consommateurs actuels? Quelques chiffres indiquent l'importance de cette question:

> ➤ aujourd'hui les adolescents de 15 ans auront 20 ans en l'an 2000, ils sont la prochaine vague de consommateurs. Cette génération qui s'est familiarisée avec les claviers et les écrans dès la petite enfance entrera alors dans la vie active, formant une masse critique impor-tante de plusieurs millions de personnes: les *Apple Kids*, la *Mac Generation*, les *Wizz Kids*, les *Nerds*, etc.;

> ➤ dans 48% des maisons équipées d'un deuxième téléviseur (schéma 26), celui-ci est généralement placé dans la chambre des jeunes;

> ➤ 50% des adolescents américains ont un micro-ordinateur chez eux;

> ➤ 60% des jeunes de moins de 16 ans possèdent une console de jeux, et en 1990, Mario devient aussi connu que Mickey Mouse;

> ➤ plus de 33% des produits dérivés (T-shirts, épinglettes, etc.) sont achetés par les jeunes;

> ➤ la moyenne d'âge des 30 millions d'utilisateurs d'Internet se situe autour de 27 ans, etc.

Actuellement, les adultes ne font que se con-
vertir ou, au mieux, s'adapter aux NTIC, tandis que l'approche des jeunes vis-à-vis celles-ci est beaucoup plus
«naturelle», reposant sur une compréhension intuitive
d'une nouvelle écriture médiatique émergeant via les
jeux électroniques, les clips, le *scratch video*, les micro-
ordinateurs et les CD-ROM. Les jeunes les apprivoisent
avec d'autres sensibilités exigeant notamment une intégration de l'oeil, de la main et de l'oreille. Un adulte
décode intellectuellement l'image écran grâce à la lecture comparée des symboles qui y sont affichés, tandis
que le jeune s'identifie à l'image interactive avec tout son
corps. Un jeune est connecté sur son jeu Nintendo en
circuit fermé. En fait, il ne cherche pas tant à maîtriser
la situation comme l'adulte, mais plutôt à interagir, il
saute littéralement l'étape intellectuelle des adultes.
Alors que 25% des adultes n'ont jamais utilisé un micro-
ordinateur et que 23% de ceux qui le font sont mal à
l'aise avec cette technologie, 92% des adolescents les
utilisent avec aise[4]. L'arrivée massive de jeunes ayant un
modèle de communication basé surtout sur une culture
visuelle interactive va poser de sérieux problèmes à la
société.

Une culture impressionniste. — Les jeunes n'identifient
que deux sources déterminantes d'influence pour tout ce
qui les concerne: leurs amis et la télévision. Leurs 20
heures de télévision par semaine équivalent au quart de
leur temps libre. Formés par ce télérobinet qu'est le
téléviseur constamment ouvert, les jeunes développent
une culture mosaïque, c'est-à-dire un espace et un temps
où les points de repère sont multiples et éclatés[5]:

4. Rapport de la compagnie Dell, octobre 1993, États-
Unis.
5. Lire le rapport *Les enfants du primaire* du Conseil
supérieur de l'éducation du Québec, juin 1989.

> ➢ leur mode de connaissance est marqué par la globalité et l'instantanéité et par l'absence de méthode de travail;

> ➢ leur façon de s'exprimer est spontanée et diversifiée, collée à ce qu'ils expérimentent;

> ➢ leur horizon social est large mais habité de très diverses façons, ignorant souvent leur propre milieu;

> ➢ leur sensibilité et leur imagination sont ouvertes à la création mais beaucoup moins à l'analyse.

Une culture américanisée. — Cette génération baigne quotidiennement dans une sous-culture qui est nourrie presque exclusivement de produits américains bas de gamme: les séries à la télévision (*sitcom*), les disques, les films, les jeux, la radio, etc., offrant l'image du fast-food, du coca-cola, des jeans, du rock, de la drogue et de la violence. Dans tous les domaines de grande consommation «culturelle», l'américanisation atteint des proportions inimaginables.

Les nouvelles logiques de consommation

Les inforoutes modifient les règles de consommation à partir de trois facteurs: le prix, la qualité et l'accessibilité grand public. Poussés par des délais raccourcis, des stocks minimaux et une clientèle de plus en plus versatile, les métiers de la vente pensent mieux gérer leurs activités et améliorer leur productivité grâce aux inforoutes en offrant au client deux choses nouvelles: visionner le produit et remplir lui-même le formulaire de ses besoins selon ses goûts. Dans le cadre libéral nord-américain, comment le consommateur réagira-t-il aux forces du marché ou des trois marchés? Quelle sera sa logique de consommation? Quelles seraient les caractéristiques de cette logique par rapport aux trois types d'inforoutes?

Les valeurs n'évoluent pas comme un pendule, mais par vagues cycliques, chacune étant le passage d'un système de valeurs vers un nouveau système. La demande doit s'ajuster à ces nouvelles valeurs. Or les consommateurs arrivent par vagues, chaque génération est forgée par son espace et son temps.

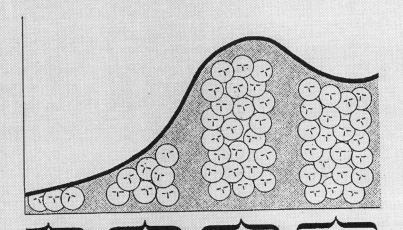

GI Generation 72-95 ans (nés 1901-1924)	**Silent Generation** 54-71 ans (nés 1925-1942)	**Boomer Generation** 36-53 ans (nés 1943-1960)	**Thirteenth Generation** 11-35 ans (nés après 1960)
Culture de la Belle Époque façonnée par les classiques et le cinéma	Culture des Années folles façonnée par la radio	Culture de l'après-guerre façonnée par les mass media	Culture mondialiste façonnée par la culture visuelle interactive
	Poursuite de la sécurité économique. Avoir une mobilité sociale ascendante. Respecter les règles. Faire ce que doit. Intérêt pour les autres.	Poursuite du plaisir personnel. Avoir une vie pleine et riche. Tout avoir tout de suite. Faire ce que veut. Intérêt tourné sur soi.	Poursuite de la satisfaction. Avoir le contrôle de sa vie. Respecter ses habiletés. Faire de son mieux. Intérêt pour le qualité de vie.

Valeurs

Le rapport qualité/prix. — Tout autant que le débit, c'est-à-dire la quantité des contenus, le prix constitue la clé de cette industrie des services interactifs. Quel est le prix acceptable pour un service rendu? Les spécialistes pensent moduler le prix du bit selon sa nature; ce prix pourrait fluctuer selon le contenu, l'utilisateur et le type d'inforoute.

Pour le consommateur. — Le choix dépendra de la comparaison qu'il établira entre les produits de même nature, les chaînes de services similaires et entre les marques de ces produits. Le service devra s'aligner sur le prix déjà en vigueur et proposer une valeur ajoutée (livraison à domicile et rapidité de livraison, par exemple). D'où l'importance de développer des méthodes hybrides[6] capables de faire connaître l'existence des contenus et surtout la façon d'y accéder.

Le choix découlera aussi de la qualité de la présentation visuelle à l'écran et de la convivialité des transactions (la logique d'utilisation), car le consommateur devient très exigeant quand vient le temps de débourser.

Le choix se fera en fonction de la valeur ajoutée:

➤ une amélioration de la qualité de vie;
➤ une importance accordée à une meilleure gestion du temps;
➤ une individualisation du service.

Le choix se fera aussi en fonction des groupes auxquels le consommateur appartient. L'un des mythes les plus exploités est celui de l'internaute solitaire se baladant autour de la planète. Presque toutes les analyses

---

6. Offrir un numéro 1-800 ou un formulaire où laisser ses coordonnées. Voir les expériences des fournisseurs français avec leur Minitel, en particulier l'utilisation simultanée d'événements, d'émissions de télévision et d'encadrés publicitaires dans les journaux renvoyant le lecteur à une adresse électronique.

actuelles ne font qu'étudier l'utilisateur comme une personne n'appartenant à aucune société; même quand l'internaute se crée une nouvelle société, cette citoyenneté émerge des groupes virtuels avec lesquels il correspond. Mais le consommateur moyen appartient déjà à des groupes identitaires qui lui fournissent un cadre culturel: des règles de participation, un code de communication, des points de repère, des valeurs, etc. La mondialisation est un phénomène peut-être indéniable mais il demeure contradictoire, les groupes restent un intermédiaire vital entre l'individu et l'universel; entre le **solitaire** et le **solidaire**. Ces groupes garderont une influence sur les comportements de leurs membres; d'où l'importance de bien connaître leur culture grâce à des études de marketing. La plupart des inforoutes auront des correspondances avec des communautés qu'elle relieront par voisinage. Voir le paragraphe sur le territoire à la page suivante. D'ailleurs, on jugera les inforoutes par rapport aux territoires qu'elles desserviront.

Pour le fournisseur de contenus. — Ses coûts dépendent d'une demande suffisante, c'est-à-dire de la capacité de justifier le rapport au prix exigé du consommateur; donc de développer un trafic lié à la rentabilisation de l'offre. D'où l'importance grandissante des études de marketing direct permettant de mieux connaître la demande, l'apparition des micro-marchés, les comportements à satisfaire, etc.

Ses coûts dépendent aussi de la comparaison entre le service en ligne offert et le même service rendu de manière traditionnelle (d'où l'inutilité du mythe de la pizza que l'on peut commander par une inforoute). D'où l'importance de ne pas dédoubler tous les catalogues ou les annuaires déjà existants, mais de trouver des applications nouvelles, notamment capables de court-circuiter le temps et faciliter la vie quotidienne.

Pour l'opérateur de passerelle. — Plusieurs services de tarification pourront exister selon les créneaux, les contenus, les types d'inforoutes, etc.

> ≫ taux fixes (exemple du service de base: *pay per service*);
> ≫ taux au forfait, c'est-à-dire à l'usage (exemple de l'utilisation d'un logiciel: *pay per view*);
> ≫ taux au volume, c'est-à-dire une rétribution à la durée, pour ce qu'il regarde (téléchargement d'un film: *pay per bit*).

La variété. — Tous les promoteurs rêvent du *killer application*, un service tellement populaire qu'il leur procurerait un essor économique fantastique. C'est un monde où l'on rêve de ventes phénoménales, de *success story*, et où l'histoire semble faite de jeunes millionnaires instantanés[7], c'est un milieu qui oublie rapidement les amères défaites. L'approche «bol de fruits» qui offre une grande variété de contenus semble plus prometteuse. L'expression vient du bol rempli de fruits qu'on laisse sur la table et où tout le monde se sert à sa guise. Placé devant une grande quantité de canaux et de services, tout comme dans les magasins actuellement, le consommateur ne cherchera pas le produit X mais plutôt une marque qui lui inspirera confiance (marque de commerce, emblème, signature, *trademark*). Les fournisseurs devront apprendre à fidéliser leurs clientèles autour d'une marque qui deviendra pour elles une garantie de qualité. L'information, le produit ou son prix peuvent changer, mais le cconsommateurs fera toujours comfiance à la marque de commerce qui deviendra le point de ralliement des surfeurs.

Si le premier objectif du *Information Highway* est la création d'une masse critique suffisamment impor-

---

7. Steve Jobs anciennement de Apple, Bill Gates de Microsoft, Marc Adreessen de Netscape, etc.

tante de contenus, le deuxième objectif est celui de la
fidélisation de clientèles assez nombreuses pour ces contenus, c'est-à-dire créer une masse critique importante
d'utilisateurs. En ce moment, l'ensemble des consommateurs, en particulier les *boomers*, sont sceptiques en ce qui
concerne la pertinence des produits offerts, leurs prix et
surtout la sécurité des transactions. Ce scepticisme est
causé par plusieurs facteurs:

> ≫ le rétrécissement de leur budget[8];
>
> ≫ la multitude des produits offerts par des
> concurrents de plus en plus nombreux;
>
> ≫ la multiplication des supports médiatiques
> en ligne et hors ligne;
>
> ≫ l'apparition des micromarchés destinés à
> des publics moins nombreux et mieux ci-
> blés, etc.

C'est parce qu'ils seront plus exigeants que les
futurs consommateurs seront infidèles; d'où l'importance d'une veille économique capable de révéler leurs
habitudes, leurs valeurs et surtout leur satisfaction.

Le territoire. — L'un des mythes Internet les plus tena-
ces est celui du réseau virtuel permettant de rejoindre
n'importe qui à n'importe quel point de la planète.
Comme on l'a déjà décrit, l'espace (avec le temps) est
une donnée incontournable de l'expression humaine; la
vie est d'abord et avant tout imprégnée par les événements qui frappent nos sens. La théorie de la communication multipalier explique que l'être humain vit dans un
emboîtement d'espaces sociaux, chaque palier étant un
niveau d'interprétation culturelle de ce que ressent le
groupe d'êtres humains vivant dans un espace et un

---

8. En 1982, le taux d'endettement des ménages était de
14%, et en 1994, de 22%. Si on ajoute le prêt hypothé-
caire, l'endettement passe de 31% à 60% au cours de la
même période.

temps donnés. Les inforoutes possèdent probablement une référence identitaire liée à ces différents territoires que sont la maison, la ville et l'État, par exemple. Certaines inforoutes sont utilisées pour des activités très terre-à-terre et quotidiennes à partir d'un territoire proche, tandis que d'autres permettent de surfer sur des continents virtuels selon nos rêves.

La plupart des achats se feront grâce à des inforoutes liées à des territoires familiers au consommateur, c'est-à-dire proches physiquement de celui-ci. Les achats se dérouleront entre deux pôles. Le premier pôle est celui des produits courants, les achats de routine et de première nécessité comme certains aliments consommés quotidiennement ou des vêtements de base. Ceux-ci seront achetés localement par téléachat (*remote sell*), là où le consommateur peut acheter sans essayer. Le deuxième pôle concerne les produits pour le plaisir des yeux, du goûter ou du toucher: des produits de luxe, certains plats gastronomiques ou vêtements spécialisés, etc. Ceux-ci seront offerts dans des magasins «intelligents[9]» où le consommateur voudra aller pour le plaisir de choisir lui-même. Ainsi, à l'échelle humaine, la ville ou le quartier demeureront toujours des lieux physiques privilégiés au point de vue économique, en fait ils demeureront toujours des lieux d'articulation entre l'économie, le social et le politique. Les territoires sont des niveaux de conscience de notre société; il n'existe pas de politique qui ne s'inscrive sur un territoire. Les territoires seront renforcés par l'utilisation des inforoutes, car beaucoup de réseaux virtuels devront avoir une assise territoriale physique pour offrir certains services.

---

9. Des centres de solutions (*smart stores*) qui voient le jour présentement, où les produits ne sont plus placés sur des étagères en rangées mais regroupé par centres d'intérêts, une section pour la cuisine italienne par exemple.

Un outil de gestion. — À cause des qualités décentralisatrices et de personnalisation des inforoutes, le contrôle du processus décisionnel en consommation glisse des mains des fournisseurs vers les consommateurs. Ceux-ci voudront gérer eux-mêmes leurs champs d'intérêts; ainsi devons-nous penser, dès maintenant, à doter les inforoutes d'outils de gestion de toutes sortes: agenda, calendrier, achat, réservation, calcul des taxes, etc.

7

Les stratégies

Dans ce chapitre...
➤ Le National Information Infrastructure (NII)
➤ Le Global Information Infrastructure (GII)
   et le Magna Carta
➤ Internet
➤ Les stratégies nationales et internationales

Le National Information Infrastructure (NII) ou Information Superhighway

Le projet américain *Information Superhighway* aura des retombées très importantes à moyen et à long terme; à l'heure de la mondialisation des technologies et des économies, les décisions qui seront prises lors du développement de ce projet influenceront toute la planète. L'évolution de ce projet peut être mieux comprise par une présentation chronologique des événements, car ce projet s'articule autour d'une très longue expérience de la part des Américains dans l'utilisation des ordinateurs en réseaux[1].

---

1. Déjà en 1854, des plans étaient préparés pour relier tous les Américains par le télégraphe; et durant les années 1930, on pensait que la radio allait unifier le territoire national, etc.

L'ancêtre. – À partir de 1969, la DARPA (*Department of Advanced Research Projects Agency*) développe un projet expérimental, le réseau Arpanet. Au cœur de la guerre froide, les développeurs voulaient un réseau capable de fonctionner après une destruction partielle lors d'un conflit armé.

> ➤ À partir de 1973, Vinton Cerf et Robert E. Kahn vont développer ce qui deviendra, quatre versions plus tard, le protocole TCP/IP, devenant une norme en 1980 et le standard d'Arpanet en 1983.

> ➤ En 1988, la National Science Foundation (NSF) commence à connecter six *super-computers* en réseau.

> ➤ En 1990, Arpanet devient Internet et réunit 300 000 serveurs.

> ➤ En 1992, la Internet Society est formée.

Les grands-parents. – En 1991, D. Allan Bromley et Al Gore[2] font voter la loi *High Performance Computing Initiative Program* qui veut préparer la société américaine à une *Digital Information Society*. Ses principaux éléments sont:

> ➤ la création du NREN[3] ou *Science Net*;

> ➤ une nouvelle génération de superordinateurs à architecture parallèle[4] et de nouvelles stations de travail[5];

> ➤ une nouvelle génération de techniques de visualisation de l'information et de télévision haute définition.

---

2. Le premier était conseiller scientifique auprès de la Maison-Blanche et le deuxième était alors sénateur; il est devenu depuis vice-président des États-Unis. Al Gore travaillait sur ce dossier depuis les années 1983-1984.
3. National Science Research and Education Network.
4. Super Cray, Connexion Machine, etc.
5. Passant éventuellement du 3M au 3G: *one gigabyte instructions per second processor, one gigabyte of random-access memory, and one gigabyte of date-bus bandwidth.*

La sage-femme. — En 1992, lors de la campagne électorale américaine, un comité *ad hoc* se forme pour suggérer à l'équipe Clinton-Gore une politique en ce qui a trait aux NTIC; John Sculley, alors président de Apple, y joue un rôle important[6]; le projet d'une autoroute de l'information est annoncé.

La naissance. — En février 1993, Bill Clinton annonce le lancement du *Information Superhighway*, une autoroute de l'information devant être construite par le secteur privé mais soutenue par la politique de l'État, au coût de 17 milliards de dollars répartis sur quatre ans, dont deux milliards de l'État lui-même[7]. Le cœur du projet, l'autoroute elle-même (appelée depuis *National Information Infrastructure* ou NII), est un réseau de fibre optique reliant les principales villes. Les caractéristiques principales de ce réseau sont: une très grande vitesse[8], une large bande, le tout numérique et de haute définition.

L'enfant. — À sa naissance, le bébé devait posséder plusieurs caractéristiques.

> ≫ Un réseau de fibre optique reliant les principales villes américaines (le NII) devenant en quelque sorte une bibliothèque et un bureau de poste virtuels pour tous les Américains.

---

6. Celui-ci annonce à ce moment que désormais l'avenir d'Apple n'est plus lié à la micro-informatique mais au développement du *Consumers Electronic* (électronique grand public) et que le Newton n'est que le premier pas dans la direction d'une électronique grand public destinée à développer de nouveaux besoins pour de nouveaux usagers.

7. Annoncé le 22 février 1993, à San Jose. Projet d'une durée de 4 ans: du 1er octobre 1993 au 30 septembre 1997.

8. Éventuellement, une vitesse de 3 gigabits par seconde, c'est-à-dire 50 000 fois plus rapide que le réseau actuel. Cela représente l'acheminement de 100 000 pages de texte à la seconde.

➤ Un système d'interconnexion, créant un
réseau de réseaux, permettant à tous les
réseaux locaux, les bases de données et les
serveurs existants de se raccorder (Internet, câblodistributeurs, satellites, etc.).

➤ La possibilité de recycler les contenus déjà
existants: films, vidéos, textes et didacticiels par exemple, et de connecter les réseaux déjà développés: les networks, les
salles, le câble, la syndication, etc.

➤ Permettre à tous les Américains, où et
quand ils le désirent, de recevoir l'information pour un prix abordable.

L'avance des États-Unis. — On est peu conscient de
l'avance qu'ont les États-Unis dans le domaine des NTIC
(peut-être moins vis-à-vis du Japon). Cette avance est
bâtie sur leur long passé de défricheurs dans ces domaines (inventions, développement de matériel et de services grand public), sur la richesse des contenus produits
(qualité et quantité des films, des émissions de télévision,
des CD-ROM, etc.), ainsi que sur la quantité des machines à communiquer utilisées par leurs citoyens-consommateurs sur leur territoire (chiffres datant de 1993):

	É.-U.	Japon	Europe
Téléphones			
Lignes par 100 personnes	48,9	42,2	42,2
Appels par personne/mois	43,4	46,1	48,7
Téléphones cellulaires par 100 personnes	2,6	1,2	1,2
Télévision			
Maisons reliées par câble (%)	55,4	13,3	14,5
Achat de magnétoscope	44,6	35,3	14,1
Ordinateur			
Micro-ordinateurs personnels par 100 personnes	28,1	7,8	9,6
Production des bases de données: % mondial	56,0	2,0	32,0

Pour compléter ce portrait, il faudrait ajouter ici une analyse comparative de l'évolution qualitative des services et des contenus.

Au début du xxiᵉ siècle, plus de 50% des maisons américaines seraient reliées à une inforoute, c'est-à-dire toute la classe supérieure et une partie de la classe moyenne. «Ce sera la première société globale de l'histoire.» (Jimmy Carter)

Le NII permet au gouvernement et aux entreprises américaines de réaliser de nouvelles démarches jamais entreprises auparavant. S'ils parviennent à réaliser cet objectif, vraisemblablement au cours de la prochaine décennie, ils auront accompli un bond qu'aucun autre pays n'aura réalisé.

➤ *Pôle technologique*

➤ Un réseau national de fibre optique, à très grande vitesse, à large bande, de haute résolution et utilisant de nouvelles techniques de compression de données.

➤ Un ensemble de centres de recherches (*test beds*) capables de traiter d'énormes quantités d'informations multimédias à partir de leurs super-ordinateurs à architecture parallèle.

➤ Le développement de logiciels et de concepts de gestion d'information orientés grand public et en giga-quantité, les solutions n'étant pas toutes uniquement matérielles mais de plus en plus logicielles.

➤ Le développement de nouvelles normes nationales devenant souvent les normes internationales *de facto*.

➤ *Pôle économique*

➤ Un nouveau modèle économique basé sur la valeur ajoutée et non plus exclusivement sur les secteurs manufacturiers.

➤ La formation de méga-majors multinationaux.

➤ Le démarrage d'une industrie du contenu à partir de trois créneaux: grand public, commercial et privé.

➤ L'impact des NTIC sur l'emploi et les méthodes de travail: le télétravail à domicile, le télétravail en groupe (groupware), etc.

➤ L'apparition de nouveaux types d'entrepreneurship, de compagnies virtuelles (*virtual corporation*), etc.

➤ *Pôle sociétal*

➤ L'accès et le traitement de l'information en temps réel par une masse critique de chercheurs jamais atteinte auparavant.

➤ Une nouvelle écriture médiatique.

Le rôle du gouvernement américain. — Al Gore favorise un rôle de contrôle important de la part du gouvernement américain pour éviter une balkanisation de l'inforoute en une multitude de segments incompatibles, tandis que les méga-majors se positionnent pour devenir les seuls maîtres d'œuvre de ce projet en ne laissant à l'État que le développement de services socialement prioritaires. Les rôles prévus par ce gouvernement sont:

➤ Promouvoir la R&D (1 milliard de dollars);

➤ Développer des projets pilotes (genre NSF Net, vBNS);

➤ Rendre le gouvernement plus apte à gouverner (santé, taxe, éducation, etc.);

➤ Développer une politique nationale de l'information (droit à la vie privée, droits d'auteur, etc.);

➤ Déréglementer les télécommunications.

Le Global Information Infrastructure (GII)

Le projet GII (Infrastructure d'information globale) reprend les grandes lignes du NII américain. Il a été présenté par Al Gore aux pays industrialisés lors de la réunion du G7 à Bruxelles en février 1995. Ce projet de réseau international de réseaux devrait «créer un marché global de l'information, encourager les investissements privés, l'accès universel à toutes les informations et créer des emplois à la condition que l'on encourage la compétition entre les pays. Ce réseau d'information planétaire permettra de relier les villes les plus développées aux villages les plus reculés et, ainsi, personne ne sera exclu du développement économique», comme le précise le texte.

Ce projet véhicule des concepts naïfs et dangereux: une seule autoroute universelle, un seul modèle médiatique culturel, l'anglais comme langue d'usage, etc.: un nouvel ordre mondial, la *Pax Americana*. En fait, la stratégie américaine est de prendre les autres pays de vitesse pour imposer ses contenus, véritable enjeu de cette offensive. Les représentants du monde industriel pensent que les États-nations devraient se cantonner dans des recommandations législatives et procédurales; pourtant le GII ne deviendra possible que si les pays s'entendent sur:

> ≫ l'interopérabilité de leurs réseaux;

> ≫ le respect des droits privés de leurs citoyens;

> ≫ la mise en place de droits internationaux de propriété intellectuelle;

> ≫ le développement et surtout l'accès pour tous aux nouveaux marchés interactifs.

Le Magna Carta

Lors des élections américaines de 1994, Newt Gingrich, alors futur *speaker* républicain de la Chambre des représentants, a proposé un plan intitulé *Democracy in Virtual America* centré sur la notion du cyberespace comme terre du savoir: «*Cyberspace is the land of knowledges and the exploration of that land can be a civilization's truest, highest[9].*»

Il ne s'agit plus de bâtir un *Information Highway* mais un *Information Shopping Center*. Ce texte remet en cause les réflexions de l'administration Clinton-Gore, car dans ce document il n'y a place que pour les seules forces du marché: le seul dynamisme encouragé est celui de «faire de l'argent à tout prix», sans loi, sans l'intervention de l'État (un retour du conservatisme Reagan-Bush). Le «cyberspace» y est défini comme un marché et non comme un espace de communication; et *Freedom* veut dire que les entreprises ne sont tenues de répondre à aucune règle, leur leadership sera un *Unregulated Monopoly*.

Internet

Internet est d'abord une norme qu'utilise un réseau de réseaux disparates, libre en principe de censure et à l'abri de toute intervention gouvernementale, une vaste galaxie qui atteint des millions de personnes dispersées sur la planète. On le définit comme étant *a resolutly grassroots structure*. Cet accès sans contrainte et pratiquement gratuit aux informations de toutes sortes explique son succès. Il est le fruit de l'esprit des hippies des années 1960 qui désiraient:

9. Lire le texte *Cyberspace and the American Dream: A Magna Carta for the Knowkedge Age*, daté du 22 août. La *Magna Carta* fut signée par le roi Jean d'Angleterre, en 1215, pour protéger les nobles du temps. Aujourd'hui, ce texte veut protéger les gens du «Third Wave» (lire Alvin Toffler) qui sont proches du pouvoir à Washington.

➤ un accès sans limite aux ordinateurs;

➤ un accès gratuit à toutes les informations;

➤ une décentralisation refusant toute autorité;

➤ l'emploi de l'ordinateur pour améliorer la vie en société;

➤ un cyberespace où les gens sont jugés par leurs idées et non par leur statut, d'où le mythe d'Internet le grand égalisateur.

Le dynamisme d'Internet vient de ce que ce réseau n'a pas été planifié dès l'origine mais s'est développé en fonction des besoins de ses utilisateurs. Cette initiative a entraîné une réaction en chaîne qui, vingt-cinq ans plus tard, a développé un système complexe de transport en perpétuelle évolution, intégrant plus ou moins 50 millions d'utilisateurs, utilisant 2 millions d'ordinateurs reliés par 24 000 réseaux. Les principes qui ont guidé la conception du réseau et la qualité de l'architecture sont simples:

➤ tout le monde utilise le même procotole (TCP/IP), et si un réseau ne le respecte pas, ses voisins se déconnectent;

➤ les informations circulent par paquets empruntant la route disponible au moment de leur diffusion (*dynamic rerouting*), c'est-à-dire selon l'encombrement ou les pauses;

➤ chacun paie pour sa maille du réseau;

➤ chacun bénéficie du fonctionnement de l'ensemble et l'ensemble bénéficie de l'apport de chacun;

➤ chacun doit respecter le code de bonne conduite (la netiquette), etc.

Il est dirigé par la *Internet Society* (ISOC), un conseil de sages formé de volontaires, et techniquement par la *Internet Engineering Task Force* (IETF). Son développement s'est fait en plusieurs étapes:

➤ l'étape militaire: au début, quelques centaines de chercheurs en informatique et
des militaires voulaient étudier les techniques de réseau et accéder à certains ordinateurs pour partager les fichiers;

➤ l'étape universitaire: des milliers de professeurs et d'étudiants voulaient communiquer entre eux;

➤ l'étape du courrier électronique: des millions de personnes découvraient une nouvelle forme de courrier, plus rapide et internationale;

➤ l'étape de commercialisation qui débute
vers 1990 avec l'explosion actuelle du
nombre d'utilisateurs donne aux entreprises la possibilité d'offrir des services commerciaux. Désormais le Net ne sera plus
jamais le même et deviendra une sorte
d'écosystème.

Aujourd'hui, beaucoup de gens pensent que le *Information Superhighway* devrait se développer à partir d'Internet, parce que plus de 70 pays utilisent la norme TCP/
IP et 150 autres utilisent une forme ou une autre de
courrier électronique moins développé. Cependant, la
situation d'Internet n'est pas aussi rose que les chiffres
l'indiquent; il demeure toujours un *wild west* technologique, c'est-à-dire beaucoup de kilomètres sans aucune
carte.

➤ Un pourcentage élevé de professeurs n'utilisent toujours pas Internet dans les universités, pourtant des lieux d'utilisation et
de développement privilégiés du système.

➤ Si 85% de la population américaine pense
qu'Internet est une bonne chose pour
l'économie, en revanche 57% sont incapables d'en donner une bonne définition.

≫ Trouver quelque chose dans Internet revient à se frayer un chemin dans la jungle.

≫ Il existe une circulation de très grandes quantités d'informations non vérifiées, voire peu fiables.

≫ La propriété intellectuelle n'y est pas protégée.

≫ Les six autres pays industrialisés (G7) commencent à peine à se doter d'infostructures nationales (*backbone*), tandis qu'ailleurs les autres pays n'auront pas les fonds nécessaires pour développer les leurs avant un certain temps.

≫ Les prix d'utilisation des services sont hors de portée des salaires des travailleurs des pays du Sud.

≫ Certains régimes totalitaires utilisent cette technologie pour surveiller leurs intellectuels.

≫ Un tiraillement important émerge actuellement entre les chercheurs universitaires qui veulent un réseau autogéré et les entreprises qui veulent effectuer des activités commerciales (déjà 60% des activités sur Internet).

≫ Des difficultés importantes sont suscitées par le chaos qui y règne, en particulier par les saturations causées par un trafic lourd, l'architecture n'ayant pas été développée pour cette quantité. C'est comme si toutes les automobiles existant en 1996 ne disposaient que du réseau routier du xixe siècle.

≫ Sans câbles coaxiaux ni fibre optique, il n'est donc pas possible dans l'immédiat d'échanger des films ou des vidéocassettes.

≫ L'absence de sécurité (pour probablement encore un an).

> ➤ L'absence de protection de la vie privée.

> ➤ L'envahissement par la pornographie[10].

> ➤ Une interface (sous Unix) qui n'est pas conviviale.

> ➤ Un déploiement vers le grand public qui ne respecte plus les traditions et l'étiquette d'usage (*netiquette*).

> ➤ L'absence de toute forme de synthèse des données qui fait qu'Internet contribue à sa façon à la surcharge informationnelle actuelle.

L'avenir d'Internet. — Internet continue d'évoluer de plus en plus rapidement entre l'exagération médiatique actuelle et la réalité quotidienne. Voici plusieurs tendances à surveiller lors des prochains mois:

> ➤ parce que le NSF lui retire ses fonds[11], la tendance commerciale prendra probablement le dessus sur la tendance universitaire;

> ➤ une amélioration des services et une baisse de leurs coûts à cause de l'augmentation de leur quantité;

> ➤ le développement d'intranet, c'est-à-dire de réseaux dédiés à des clientèles ciblées;

> ➤ une amélioration de la sécurité des transactions par le développement de deux types d'outils, les nouveaux coupe-feux, les logiciels transactionnels[12] et les cartes à puces avec NIP;

---

10. Voir le *Telecommunications Act - Communications Decency Act* (Exon Bill) paraphé par Bill Clinton en février 1996.

11. À l'avenir, la National Science Foundation subventionnera les recherches du vBNS, ou Very-High-Speed Backbone Network Service, qui explorera les services interactifs à larges bandes.

12. SSL (*Secure Sockets Layer*), SHTTP (*Secure Hypertext Transport Protocole*), etc.

➤ la concurrence commerciale de la part de Microsoft Network qui s'appuiera sur l'effet d'entraînement de Windows 95, un plan de satellisation (Teledesic), un accord avec Visa International, etc.;

➤ une amélioration des agents d'interface actuels (Gopher, WAIS, Archie, Veronica, etc.);

➤ une poussée qui viendrait de l'entrée massive des bibliothèques sur Internet.

Le World-Wide-Web (WWW, W3, Web)

Modifié une première fois déjà par l'arrivée des micro-ordinateurs durant les années 1980 et à nouveau par l'émergence des inforoutes en 1990, le marché connaîtra probablement un nouveau bond grâce à l'arrivée du Web qui a pris tout le monde par surprise. Cette croissance exponentielle a deux raisons: sa grande simplicité et la distribution gratuite du logiciel Mosaic. Si la première génération d'Internet permettait de faire circuler des textes s'affichant en noir et blanc, cette deuxième génération permet la diffusion de multimédias interactifs; plusieurs considèrent le Web comme le volet multimédia d'Internet. Créé en 1992, le Web devient une force importante grâce à:

➤ son approche client-serveur;

➤ son approche universelle dans l'établissement des passerelles non seulement Web mais utilisant aussi d'autres protocoles comme FTP, Gopher, WAIS, etc.[13];

➤ l'affichage graphique utilisant le logiciel HTML, le protocole GIF, et bientôt ceux

---

13. Une alliance de trente entreprises (Apple, IBM, Oracle, Silicon Graphics, etc.) sous le leadership de Netscape et Sun développe de nouveaux standards. De son côté, Microsoft adapte son OLE (*Object Linking & Embedding*) et son Visual Basic au Web.

de deuxième génération comme Mosaic 2.5, JavaScript, VRML (*Virtual Reality Modeling*), etc.;

➤ sa navigation conviviale de type hypertexte et l'apparition de nouveaux agents intelligents (butineur, fureteur) comme Netscape Navigator 1.1, etc.;

➤ le développement de logiciels de transactions plus sécuritaires;

➤ une approche révolutionnaire: les *applets* qui permettent de diffuser des informations par un *low cost Internet box* ou *network computer*, sans avoir recours à un micro-ordinateur, etc.

L'état de la situation des NTIC aux États-Unis

1992-1994	Foyers équipés d'un téléviseur (% câblés)	95 millions (66%)
1995-2005	Pénétration des services du câble	64% à 70%
1995-2005	Télévision interactive	0 à 33%
1995	Pénétration des magnétoscopes	80%
2005	Marchés vidéo (location et vente)	16 milliards $ (11 et 5)
1995-2005	% des foyers équipés d'un micro-ordinateur	35% à 50%
1994	Téléphone	170 millions
1995	Vente d'équip. de télécom. (% des gains sur 1994)	64 milliards $ (24%)
1987-1994	Adresses E-Mail	148 millions (40 en 1987)
1983-1994	Utilisation annuelle du papier	+ 51%
1994-1996	Foyers recevant des services interactifs	4 à 8 millions
1994	Achat de matériel de réseaux (entreprises)	13 milliards $
1993	Vente mondiale par les entreprises de logiciels	2,5 milliards $
1993	Surplus de vente par les entreprises de services	3 milliards $
1994	Entreprises utilisant des micro-ordinateurs	50%
1995	% de vente de micr.-ord. à vocation résidentielle	50%
1984-1994	Vente de cellulaires (% pénétration)	de 0 à 23 millions (6%)
1982-1994	Pourcentage des dépenses pour l'informatisation de l'appareil gouvernemental	de 9% à 25%
1994	Vente de camcoders	3,1 millions
1994	Soucoupes pour l'écoute de satellites TV	3,7 millions
1994	Soucoupes ne possédant pas un descrambling	50%
1992	Investissements dans la production cinéma	3,5 milliards

L'état de la situation d'Internet dans le monde

1994-1995	Nombre de réseaux raccordés	34 000 à 70 000
1989-1995	Nombre de serveurs raccordés	56 000 à 6 642 000
1993	L'utilisation commerciale dépasse l'utilisation domestique	
1992-1994	Rythme mensuel d'abonnement à Internet	10%
1993-1994	Augmentation des incidents de sécurité suit l'augmentation des abonnés	
1993-1998	Souscripteurs de services interactifs sur PC	3 à 34 millions
1994	Souscripteurs de services interactifs câblés	11 millions
1994	Utilisateurs d'Internet (et âge moyen) (pays)	30 millions (26 ans) (+70 pays)
1994	BBS dans le monde	74 000
1995	Groupes d'intérêts et de discussion	13 000 (*Newsgroup* - Usenet)
1994	Conférences thématiques sur Netnews	4000 sujets
1994	L'utilisation du courrier électronique	95%
1994	Serveurs installés hors des États-Unis	35%
1994-1995	Sites commerciaux	29 000 à 76 000
1994-1995	Sites éducatifs	856 000 à 1,4 million
1994	Nombre de Freenet	120
1995	Nombre de villes possédant des cybercafés	30
1995	Profil moyen de l'utilisateur: à peu près 50 millions d'usagers, (dont 17% disposant d'un accès total aux ressources du Net), très bien éduqués, venant des classes supérieures, moyenne d'âge entre 27 et 30 ans (70% de la *thirteenth generation* et 25% de la *boomer generation*), 77% masculins et 23% féminins. Les branchés-maison se servent mensuellement du Net durant 24 heures et les branchés-bureau durant 17 heures. Ces internautes sont critiques vis-à-vis de certains aspects du Net:	

Le temps d'affichage des écrans	69%
La lenteur des modems (14,4 et 28,8)	60%
La difficulté de retrouver telle ou telle page	34%
La difficulté d'organiser les informations réunies	25%

Le profil d'activités des internautes québécois en 1994 [14]

	Branchés-foyer jeunes	Branchés-foyer adultes	Branchés-travail
Éducation	37%	70%	72%
Conversation	29%	30%	17%
Jeux	26%	29%	17%
Groupe d'intérêt	18%	34%	18%
Téléchargement de logiciels	15%	41%	31%
Nouvelles	14%	47%	41%
Courrier électronique	13%	72%	67%
Téléachat	8%	10%	14%

L'état de la situation dans les services commerciaux

1993	Abonnés de Prodigy (croissance 92-93)	2 100 000 (+ 5%)
1993	Abonnés de Genie	550 000 (+35%)
1996	Abonnés de America On Line	5 500 000
1996	Abonnés de CompuServe	4 000 000

Les états de la situation du Web

1993-95	Serveurs	130 à 38 000
1994	Utilisation de Netscape Mosaic	75%
1995	Entreprises développant avec Netscape	10 000
1995	Profits déclarés (profits dans deux ans)	22% des entreprises (60%)

Les stratégies nationales et internationales

Autrefois, certains pays se mobilisaient pour une conquête, la route des épices par exemple. Actuellement, une nouvelle étape voit le jour: tous les pays industrialisés se passionnent pour les inforoutes depuis la réunion du G7 de février 1995 à Bruxelles. Ces pays ont le sentiment que les inforoutes sont la principale force derrière leur prochain essor économique et que celles-ci pourraient gérer leurs mutations. L'avenir de ces pays va dépendre de leur capacité d'anticipation, c'est-à-dire de la qualité de leurs activités de veille technologique, éco-

14. *Source:* Centre de promotion du logiciel québécois.

nomique et stratégique, surtout face à ces nouveaux défis que sont l'immatériel, l'interactivité et la mondialisation. Ils élaborent leurs stratégies à partir de leurs particularités, mais des points communs émergent néanmoins de cet ensemble de tendances:

> la continentalisation des marchés (l'Union européenne, l'ALENA, l'ASEAN, etc.);

> la formation de méga-majors multinationaux qui commencent à se substituer aux États-nations dans les domaines des communications et de l'économie qui y sont rattachés;

> les pressions des barons de la tuyauterie (Bangeman, Théry, etc.) qui aimeraient faire financer leurs réseaux par tous les citoyens (acte 1: une poussée de la déréglementation tous azimuts, sans aucune réflexion à long terme);

> l'émergence d'une culture mondiale (NTIC et inforoutes) chez les adultes par la micro-informatique et, encore plus importante, chez les jeunes par les jeux.

Cela ressemble à une course qui va bientôt démarrer, où chaque participant se présente sur la piste avec ses points forts et ses points faibles.

Les stratégies américaines. — Dans le passé, les Américains furent mobilisés par leur président autour de grands projets collectifs: l'effort de guerre 1940-1945, le Plan Marshall, la conquête de la Lune, par exemple. Cette fois-ci, le nouveau projet collectif est le *Information Superhighway*, offensive qui suppose la création d'un *nouvel ordre économique mondial*.

> *Positif*

> Une très riche expérience dans le développement des inforoutes tant au point de

vue matériel qu'au point de vue logiciel. Un bourgeonnement permanent et pragmatique d'idées et d'initiatives dans les domaines des ordinateurs, des télécommunications, des satellites, de la communication mobile, etc., dynamisme qui est le résultat de dix années de dérégulation progressive.

➤ Une omniprésence dans le domaine du contenu: bases de données, cinéma, vidéo, édition, produits dérivés, etc.; en fait les États-Unis ont peut-être perdu quelques monopoles dernièrement, mais ils ont gagné une grande bataille décisive: celle de l'audiovisuel.

➤ Un redémarrage récent de l'ensemble de l'économie américaine dû aux gains de productivité réalisés grâce aux NTIC.

➤ Des méga-majors se structurant depuis trois ans, ce qui signifie l'arrivée de nouveaux acteurs ainsi que de leurs capitaux, et l'arrivée d'artistes, d'ingénieurs et d'informaticiens, européens et canadiens, qui «sentent que c'est là que ça se passe»: c'est-à-dire une fuite des jeunes cerveaux au profit des États-Unis.

➤ Un réseau mondial de distribution rapportant des bénéfices extraordinaires; il fonctionne sur le principe des coûts initiaux absorbés par les revenus locaux, ce qui ressemble en fait à une politique de dumping.

➤ Ce pays possède déjà un grand marché interne, 250 millions de consommateurs, lui servant de terrain d'essai pour ses contenus.

➤ *Négatif*

➤ Des initiatives exclusivement guidées par les principes de la libre entreprise, ce qui se traduit par une faiblesse de la réflexion concernant la place du citoyen face aux NTIC et aux inforoutes.

➤ Le retour possible au pouvoir d'une droite (les républicains, Newt Gingrich[15] et le Magna Carta) qui convertirait les inforoutes en marchés électroniques où la loi des méga-majors s'imposerait à la planète[16].

➤ Un pays qui se désagrège devant le coût social de la compétitivité: son principal mécanisme, le *melting pot*, ne fonctionnant plus très bien (refus notamment des hispanophones et des Asiatiques), un pays qui a perdu beaucoup de ses repères moraux, dont le système scolaire est de moyenne qualité et dont 20% de la population est paupérisée.

Les stratégies européennes. — Déjà les livres verts de 1987, 1990 et 1994 (voir la bibliographie), ainsi que les projets ESPRIT, STIG, RACE/ACTS, Euro-RNIS, etc.

---

15. Son dernier livre, *To Renew America*, parle des dangers de la contre-culture libérale des années 1960 (États-providence, multiculturalisme, etc.), et des solutions de la droite républicaine, car selon Gingrich, les États-Unis sont à la croisée des chemins et doivent choisir. Entre la continuité ou la coupure, il a choisi de se préparer à la coupure.

16. Le *National Endowment for the Arts* (NEA), le *National Endowment for the Humanities* (NEH) et la télévision publique (PBS) disparaîtront en 1997. En confiant à Disney, AT&T, etc., la diffusion des arts et de la culture américaine, les républicains vont provoquer une uniformisation appauvrissante aux États-Unis et ailleurs où ces contenus seront diffusés.

indiquent la volonté de l'Union européenne de répondre aux défis des inforoutes.

➤ *Positif*

➤ Une très grande richesse culturelle et linguistique.

➤ Un marché potentiel interne de plus de 370 millions de consommateurs, ainsi que deux territoires qui y sont historiquement attachés: l'Europe de l'Est et une partie de l'Afrique.

➤ Des structures de télécommunications d'envergure mondiale qui seront déréglementées vers 1997, donc la disparition de ces enceintes monopolistiques.

➤ L'émergence de l'Allemagne comme marché central et leader dans les domaines des NTIC et des inforoutes.

➤ *Négatif*

➤ La faiblesse d'une volonté commune capable d'imposer à tous ses membres un calendrier de changements.

➤ Aucune veille en ce qui concerne ces acteurs concurrents que sont les Américains et les Japonais, et leur retard dans la prise de conscience des enjeux.

➤ La démission linguistique et culturelle devant la pseudo-supériorité de l'américanisme.

➤ L'absence de méga-major dans le domaine du contenu, tant et si bien que l'Europe continue d'être un marché unique pour les distributeurs américains[17].

---

17. 77% des exportations en 1991.

Les stratégies japonaises. — Ce pays, l'un des trois piliers industriels mondiaux, prépare ses stratégies depuis vingt ans déjà: relier par fibre optique tous les bureaux et les foyers vers 2010.

➤ *Positif*

➤ La forte avance des keiratsus (alliances) industrielles dans les secteurs de l'électronique grand public (téléviseurs, baladeurs, jeux vidéo, etc.).

➤ L'avance industrielle dans la fabrication des circuits électroniques à haut degré d'intégration.

➤ La forte présence des investisseurs japonais dans l'industrie américaine du contenu (cinéma notamment).

➤ Un pays qui peut s'appuyer géographiquement sur de grandes clientèles: les cinq tigres du Sud-Pacifique (Corée, Singapour, Hong-Kong, Taïwan, Malaisie) et éventuellement sur le marché chinois et peut-être indien.

➤ *Négatif*

➤ La faiblesse des industries japonaises dans le domaine du contenu multimédia, à cause notamment de problèmes de langue et de culture.

➤ Un fort développement dans les technologies analogiques, mais un rattrapage important à opérer du côté des technologies numériques.

➤ La faiblesse de l'informatisation des moyennes et des petites entreprises.

➤ Un pays aux prises avec de sérieux questionnements culturels:

— l'effet Kobé et les violences de la secte Aoum;

— la disparition du concept d'emploi permanent où l'employé passait toute sa vie professionnelle;

— une jeunesse qui remet son avenir en question;

— une dissociation entre l'identité culturelle et le développement scientique et technique;

— le caractère vertical et conformiste de cette société, caractère opposé à celui des inforoutes.

➤ Une crise de confiance vis-à-vis des partis politiques.

Les stratégies canadiennes. — Le plus petit partenaire du G7, ce pays a survécu dans le passé grâce à une politique volontariste dans le domaine des communications.

➤ *Positif*

➤ À cause de son histoire et surtout de sa géographie, le Canada a toujours été un laboratoire où l'on a inventé et expérimenté les NTIC; il possède des créateurs inventifs dans ce domaine (des «patenteux») et un public familier avec les communications de toutes sortes.

➤ Un grand territoire couvert par divers réseaux. Il est compétitif dans les satellites géostationnaires, les communications marines, la commutation numérique, la câblodistribution, les simulateurs de vol, le bras spatial (*canadarm*), les réseaux bancaires électroniques, etc.

➤ Un pays qui s'est doté d'une politique officielle concernant le bilinguisme et le multiculturalisme qui devrait avoir une incidence importante sur l'industrie du contenu.

> *Négatif*

- Un pays périphérique et à faible densité de population.
- Un pays qui n'a plus de projet de société.
- Une planification presque entièrement dirigée par des barons de la tuyauterie.
- Une industrie du contenu faible, faiblesse accentuée par les réductions récentes des fonds gouvernementaux imposées à Radio-Canada, à l'Office national du film, aux musées, etc., par le démantèlement du ministère des Communications au moment où celles-ci s'intallent à l'avant-scène des activités culturelles et économiques, par le manque de leadership et de cohésion des ministères concernés.
- Une politique de bilinguisme et de multiculturalisme qui ne fonctionne pas plus que celle du *melting pot* américain: voir les malaises québécois et amérindiens[18], etc.
- Un pays où les entreprises se développent à l'ombre de leurs grandes sœurs ou de leurs belles-mères américaines, et qui n'a pas suffisamment de masse critique pour financer et conserver son propre marché intérieur[19].

18. Lire *Le marché aux illusions. La méprise du multiculturalisme* de Neil BISSOONDATH, Boréal, 1995.
19. Selon le *Rapport mondial sur la compétitivité*, Genève, 1995, le Canada a glissé du 4e rang il y a six ans au 12e rang parmi les 48 pays à plus forte compétitivité, et cache son inefficacité générale derrière la faiblesse de sa devise.

Les stratégies de la Francophonie. — Plus de quarante pays utilisent plus ou moins la langue française, et celle-ci est parlée par plus de 120 millions de personnes[20]. La Francophonie se veut un rassemblement capable de coordonner certaines activités non seulement linguistiques mais aussi sociopolitiques et économiques; c'est à la fois un espace linguistique, un marché et une francité. La Francophonie s'est dotée de plusieurs outils: les sommets des chefs d'État, TV5, l'ACCT, le réseau des observatoires de la langue française, etc.

> *Positif*
>> La très grande diversité des acteurs.
>> Le développement d'une politique de plurilinguisme, c'est-à-dire l'utilisation d'au moins deux langues sur ces territoires, une langue nationale et le français.
>> Le développement d'une vigoureuse industrie de la langue (voir le paragraphe ci-dessous).

> *Négatif*
>> Le grand nombre de pays participants pour qui la langue française n'est que la deuxième langue.
>> Des acteurs qui font partie surtout du tiers-monde.
>> Le peu de profondeur des liens qui unissent ces entités politiques, sauf les anciennes colonies françaises.
>> La faible prise de conscience du Français moyen vis-à-vis de la montée de l'américanisme; et le peu de cas qu'il fait de la

---

20. Selon les pronostics, il y aurait 8 milliards d'êtres sur la terre en 2020, et seulement 80 millions, soit 1%, auraient le français comme langue maternelle.

Francophonie qui demeure surtout un souvenir de son empire passé.

L'industrie de la langue. — La langue est l'expression d'une conception du monde, c'est un miroir des environnements où vit l'être, en particulier une réflexion sur ses espaces-temps. Elle n'est pas un ouvrage fait mais une activité toujours en train de se refaire; elle est un bien commun constamment transformé par ses utilisateurs au fur et à mesure que ceux-ci s'ajustent aux mutations de leur société. L'industrie de la langue regroupe les acteurs qui offrent des logiciels, des interfaces et des contenus, par le traitement informatisé de la langue tant parlée qu'écrite.

Aujourd'hui, beaucoup de gens pensent que seules les langues informatisées seront utilisées à l'avenir comme véhicule d'accès aux informations scientifiques, financières, etc., et que les autres seront exclues des systèmes internationaux[21] par les facteurs suivants:

> ➤ l'impact de la mondialisation des marchés;
> ➤ la généralisation de la numérisation;
> ➤ la dévalorisation de la culture de l'écrit par les images écran multimédias;
> ➤ la surcharge informationnelle, etc.

Pressés par le mythe d'une seule langue universelle, l'anglais, le Québec et la France ont investi considérablement dans cette industrie émergente et importante:

> ➤ *Les logiciels (pour le contenant).* — Les outils techniques d'aide à la rédaction, à la traduction assistée, à la gestion documentaire, à l'analyse de textes, aux systèmes d'aide. D'autres outils sont en voie de développement comme le traitement du sens, l'interprétation, etc.

---

21. La francophonie est un espace géographique qu'occupent les «parlant français», tandis que la francité est l'ensemble des valeurs de la civilisation française.

➤ *Les interfaces.* — Des applications comme les outils de tri et de classement, les fureteurs, la gestion d'index, la navigation plurilingue, les lexiques spécialisés, la messagerie vocale, la reconnaissance de la voix et de l'écriture manuelle, etc.

➤ *Les contenus.* — Les outils de production, de diffusion, de mise à jour et de co-édition des médias traditionnels en train de s'informatiser comme les journaux, ou utilisés par les nouveaux médias comme le CD-ROM multimédia. Les produits pour les marchés analysés au chapitre 7: APO, domotique, bureautique, PAO, jeux, etc.

Les états de la situation de l'industrie de la langue

1985-1995	Augmentation des bases de données textuelles	245%
1985-1995	Augmentation des bases numériques	63%
1995	% des bases de données en anglais et en français dans le monde	80% et 6%
1994	Citations d'articles en langue française par rapport aux articles en anglais	8 fois moins
1995	% des CD-ROM disponibles en français en France	38%
1992	Parlé par moins de 10% de la population mondiale, l'anglais est la langue originale de près de 50% des traductions dans le monde (le français 10%)	

8

Conclusions provisoires: un calendrier de rentabilisation

Ce chapitre est peut-être le plus court, mais il est important pour les décideurs, car il réunit les conclusions de l'ensemble des analyses précédentes. De plus, il propose un calendrier de rentabilisation des investissements réparti sur les cinq prochaines années, offrant ainsi une évolution douce pour le consommateur.

➤ En dépit des exagérations médiatiques et des spéculations, il n'y aura pas de véritable essor économique pour l'industrie du contenu avant au moins cinq ou six ans, c'est-à-dire avant l'an 2000, tant qu'on ne se préoccupera pas notamment d'analyser plus profondément les demandes des consommateurs, en particulier leurs résistances actuelles.

➤ Les inforoutes poseront un défi énorme à l'État-nation qui sera forcé de changer ou de modifer son rôle actuel. Ce sera d'autant plus difficile que l'État-nation demeurera l'une des sources les plus importantes d'informations dans la future société de l'information et conservera l'obligation de nourrir l'imaginaire de ses citoyens.

➤ L'analyse des étapes du développement des info-routes permettrait l'élaboration d'un meilleur calendrier d'investissements et de rentabilisation. Exemples d'étapes à analyser:

> ➤ l'étape de la continentalisation avant celle de la mondialisation;

> ➤ le développement du créneau commercial avant les autres créneaux;

> ➤ l'entrée à la maison du câble coaxial avant la fibre optique;

> ➤ l'étape de l'hypertexte permettant le multi-média, celui-ci ouvrant la porte au pluri-média;

> ➤ l'étape du courrier électronique (Internet de première génération) suivie de celle du WWW-Mosaic (qui est une nouvelle génération);

> ➤ l'étape des alliances horizontales (les entreprises de même technologie) suivie de l'étape des alliances verticales (les méga-majors s'organisant plutôt autour d'un marché continental), etc.

➤ En attendant, cette industrie serait tirée surtout par les professionnels pour qui les inforoutes sont actuellement des outils essentiels à leur modernisation; de plus, ils sont déjà habitués à payer pour des services de ce genre.

➤ Si, dans cinq ou sept ans, les clientèles émergentes représentent jusqu'à 50% des nouveaux utilisateurs, de nouvelles interfaces devront être développées en tenant compte de leurs milieux (particularismes de leur langue, de leur culture et de leur logique d'utilisation, etc.).

➤ L'émergence d'une clientèle de jeunes possédant une grande culture visuelle interactive indique l'importance que l'on doit accorder dès maintenant à la présentation visuelle des messages auxquels ils sont très sensibles. D'où la nécessité de développer, au plus tôt, un code médiatique, tout comme l'arrivée de l'imprimerie a nécessité autrefois la création du code typographique. Il faudra développer un style original de médiatisation des contenus pour se démarquer du pouvoir écrasant du modèle culturel américain.

➤ L'offre d'une grande quantité de contenus à des clientèles, dont le temps semble se raréfier de plus en plus et aux prises avec l'actuelle surcharge information-nelle, indique l'importance que l'on doit accorder au traitement synthétique de l'information, en particulier à sa schématisation visuelle.

➤ Les stratégies de vente pour fidéliser les clientèles se feront moins autour des produits eux-mêmes qu'autour des marques.

➤ La demande augmentera de façon considérable dans deux ou trois ans. Plus de 50% du marché sera constitué d'applications non prévues actuellement.

➤ Les luttes actuelles entre les compagnies de télépho-nie et de câblodistribution sont des luttes d'arrière-garde, qui ne servent momentanément qu'à fidéliser leurs clientèles respectives, en attendant de pouvoir combiner les images du câble avec la bidirectionalité du téléphone. Les stratégies s'organiseront plutôt à partir de nouvelles alliances verticales qui se structureront après la phase de déréglementation qui s'amorce. Les compagnies de téléphone, qui voient cette source impor-tante de revenus que sont l'interurbain et bientôt le local se faire gruger par la déréglementation et les nouveaux services sur les inforoutes, vont devoir réorganiser leurs stratégies.

➤ Certains secteurs plafonneront:

  ➤ les services-conseils de première génération;

  ➤ l'industrie de l'image 2D;

  ➤ les services offerts par les câblodistributeurs (à moins d'offrir une réelle interactivité).

➤ D'autres secteurs seront gagnants à court terme:

  ➤ l'industrie de l'image 3D et animée;

  ➤ les produits multimédias sur CD-ROM;

  ➤ les logiciels convertissant les bases de données et de documents déjà existants pour une diffusion sur le Web;

  ➤ les services commerciaux cryptés;

  ➤ les services téléphoniques de deuxième génération;

  ➤ les jeux, notamment ceux destinés aux clientèles adultes;

  ➤ les messageries et les interfaces vocales;

  ➤ les nouvelles techniques de communications mobiles;

  ➤ les recherches de marketing direct analysant le développement des nouvelles niches et les comportements de ces clientèles cibles;

  ➤ les logiciels de services commerciaux en ligne sécuritaires;

  ➤ les «intranets» de type Internet utilisés par les entreprises, etc.

➤ Des services seront gagnants à long terme:

> ➤ l'industrie de la langue;

> ➤ les agents d'interface permettant un meilleur accès aux informations (transparence, personnalisation, navigation, etc.);

> ➤ les boîtiers-compteurs servant à la facturation;

> ➤ les nouvelles techniques et méthodes d'édition plurimédias;

> ➤ le télétravail en groupe (*groupware*);

> ➤ les services dédiés aux groupes spécialisés;

> ➤ les services-conseils de deuxième génération, etc.

➤ Les conditions matérielles et logicielles à développer pour l'an 2000:

> ➤ l'interopérabilité par convergences et hybridations technologiques;

> ➤ la commercialisation des microprocesseurs à 64 bits;

> ➤ les interfaces reconnaissant la langue naturelle et l'écriture manuelle;

> ➤ le remplacement des claviers par des écrans tactiles et par la reconnaissance de la voix surtout pour les services grand public;

> ➤ le développement de programmes multiutilisateurs à architecture multi-agent;

> ➤ les techniques «branchez et utilisez» (*plug and play*);

> ➤ la démocratisation des premiers outils de réalité virtuelle (TV-lunettes et gants de données) pour les activités ludiques;

➣ l'électronique grand public;

➣ des systèmes assez puissants pour permettre des recherches dans les bases de textes intégraux et un traitement multimédia, donc offrant des services d'accès multimédia en ligne;

➣ l'abolition des différences entre les câblodistributeurs et les compagnies de téléphone permettant l'interopérabilité;

➣ des inforoutes ouvertes, c'est-à-dire influencées par la façon dont elles seront utilisées par leurs utilisateurs.

➣ Les conditions économiques et sociétales pour l'an 2000:

➣ plus de 60% des maisons possédant un micro-ordinateur couplé au téléviseur et au téléphone;

➣ ou le remplacement des micro-ordinateurs par des *low-cost Internet box* ou *network computer* (pour la réception des *applets*) coûtant moins de 250$;

➣ ou l'utilisation d'appareils de jeux vidéo à 32 ou 64 bits pour des activités interactives grand public (coûtant moins de 250$);

➣ la fin des monopoles dans les télécommunications;

➣ l'arrivée des jeunes générations pour qui les inforoutes sont «naturelles»;

➣ l'éducation:

* du grand public aux NTIC;

* des enfants à la société de l'information;

* des concepteurs médiatiques à leurs nouveaux langages.

➤ Le modèle socio-économique de l'an 2000:

➤ Les propulseurs NTIC des dernières étapes sont :

1945: les machines à calculer;

1960: les *mainframe* d'IBM;

1980: le Macintosh de Apple et son interface graphique;

1990: les logiciels développés par Microsoft;

2000: les inforoutes, les *applets* et les *low cost Internet box* ou *network computer* à moins de 250$.

➤ L'avenir consistera à développer de plus en plus de machines à communiquer reliées au réseau de réseaux. Il n'est plus question du rêve des années 1960, «un ordinateur, une entreprise», ou de celui des années 1980, «un ordinateur, une personne». Dorénavant, le rêve sera «chaque personne connectée sur le cyberespace».

➤ L'étape qui vient à court terme sera celle des micromarchés pour des groupes de consommateurs précis, et à plus long terme, l'émergence de communautés de citoyens-consommateurs utilisant les NTIC pour faciliter leurs activités particulières: maillage, participation, responsabilisation, consommation, etc.

L'essor économique éventuel des inforoutes

En traçant quatre courbes indiquant autant de tendances déjà analysées dans ce dossier, on peut penser que le véritable essor économique, dont les promoteurs et les décideurs rêvent, aura lieu d'ici cinq à sept ans. Ces quatre courbes sont:

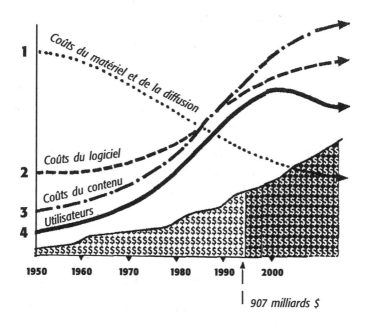

En traçant quatre courbes indiquant autant de tendances déjà analysées dans ce dossier, on peut penser que le véritable essor économique, dont les décideurs rêvent, aura lieu d'ici cinq ou sept ans.

1. On sait que le coût du matériel décroît assez rapidement avec les années tandis que se multiplient la puissance des systèmes et la quantité des informations diffusées. Parce que les inforoutes exigeront un matériel plus complexe, notamment plus sécuritaire et interopérable, ces coûts ont probablement atteint un plancher.

2. Au début de l'aventure informatique, le logiciel était bon marché, surtout par rapport au coût des appareils.

Maintenant, les nouveaux logiciels deviennent de plus en plus importants, non seulement en espace-mémoire, mais surtout à cause des interfaces-utilisateurs qui augmentent leur complexité/coût à chaque génétration.

Dans les faits, les coûts de la courbe du logiciel (*1*) annulent à peu près ceux de la courbe du matériel (*2*).

3. Les premiers systèmes ne servaient qu'aux calculs. Maintenant qu'ils deviennent des machines à communiquer, le véritable coût est celui de la médiatisation du contenu. Or ce coût ne cesse d'augmenter à mesure que la médiatisation se complexifie (hypertexte, multimédia, plurimédia, environnements «intelligents») et que sa diversité augmente afin de répondre aux besoins des nouvelles clientèles hétérogènes émergentes.

4. La première génération d'utilisateurs est celle des militaires et des chercheurs (durant les années 1950). La deuxième génération est celle des administrateurs d'entreprises ou d'institutions gouvernementales (années 1960). La génération suivante est celle des utilisateurs de micro-ordinateurs (années 1980). Cependant, tous ces usagers ne sont pas assez nombreux actuellement pour rembourser les lourds investissements que l'on commence à consentir pour les inforoutes. À certaines conditions, le grand public (notamment avec l'arrivée des jeunes, voir la courbe des générations ci-haut), alléché par les services interactifs grand public offerts grâce aux «network computers» à 250$, et par l'arrivée des micro-marchés, pourrait fournir la masse critique nécessaire au démarrage rêvé; mais remplir ces conditions prendra environ cinq ans.

Les défis

Si le développement de la société de l'information se réalise par ces propulseurs que sont les NTIC et les inforoutes, nous devrons trouver des solutions à un ensemble de conditions technologiques, économiques et sociétales, sans lesquelles les conclusions présentées au début de ce chapitre ne se réaliseront pas.

Défis technologiques. — Comment la banalisation ordinateur à calculer - machines à communiquer - objets intelligents va-t-elle s'opérer et quels seront les processus de personnalisation à développer? Durant les 20 dernières années, l'utilisation des machines à calculer que sont les ordinateurs s'est multipliée par un facteur de 100; les inforoutes vont probablement multiplier les nouvelles machines à communiquer par 1000. Celles-ci vont probablement continuer à se métamorphoser au point de devenir des objets courants: cartes à mémoire, *low cost Internet box* à 250$, badges personnalisés, gants interactifs, blocs-notes électroniques, etc.

Comment développer l'interopérabilité, la portabilité et l'adressabilité, si le tout numérique accélère et unifie les familles technologiques?

Comment maintenir ces systèmes ouverts, c'est-à-dire influencés par la façon dont les usagers les utiliseront?

Comment les caractéristiques culturelles de l'utilisateur se retrouveront-elles incorporées dans les interfaces des différentes inforoutes, l'apprivoisement des NTIC passant par l'interactivité qui rapproche les technologies de la culture?

Comment les techniques de synthèse et de schématisation peuvent-elles créer la valeur ajoutée réclamée par l'utilisateur quand, pour celui-ci, recevoir plus d'informations ne veut pas nécessairement dire être mieux informé, au contraire? L'avenir des inforoutes se jouera moins sur la quantité d'informations qui y circulent que sur leur qualité.

Comment structurer la navigation dans des contenus aussi multiformes, et surtout comment offrir une navigation grand public quand le multimédia n'est pas le point d'arrivée mais le point de départ de nouvelles pratiques médiatiques? La poussée qu'ont connue les techniques de l'image et celles de l'écrit suppose la création de nouveaux langages moins linéaires et plus hypermédia.

Comment utiliser de façon optimale l'être humain et l'ordinateur selon leurs capacités: l'être humain pour ses facultés cognitives et l'ordinateur pour sa puissance de calcul appliquée au traitement formel du signal et des données? Le paradigme de la simulation qui est celui de l'intelligence artificielle s'est avéré inefficace jusqu'à maintenant pour faciliter la compréhension de l'information car si des analyseurs syntaxiques performants ont pu être développés, on s'est buté au mur de la connaissance de sens commun.

Comment adapter la médiatisation des informations aux cultures des groupes? La médiatisation et le stockage (tri, classement et liens) se font d'une certaine façon mais l'interrogation de la part de l'usager se fait d'une autre façon, notamment à partir de la culture de ses groupes.

Défis économiques. — Comment les entreprises locales, qui devront développer une politique d'alliance avec les méga-majors d'origine américaine pour la participation à des marchés de plus en plus mondialisés, pourront-elles éviter de participer à une simple stratégie de succursale?.

Comment les fonds déboursés par les consommateurs seront-ils répartis entre les fournisseurs de contenus (coûts de production, de gestion et droits d'auteur), les transporteurs (coûts de développement et de maintien des réseaux et des serveurs, etc.) et les opérateurs de passerelles (coûts du développement des interfaces, des analyses de marketing, etc.)?

Comment éviter que cette gigantesque machine à copier que devient l'inforoute numérique respecte les auteurs et les créateurs?

Comment développer des agents facilitant les choix aux micro-marchés? Les projets de 500 canaux perdent tout leur sens dès que l'utilisateur peut télécommander ses émissions et ses services à partir d'un catalogue et d'une console.

Que deviendront les États-Unis, premier pays où la classe supérieure, une partie de la classe moyenne et toutes les grandes institutions seront connectées? Vers l'an 2000, ce pays pourrait devenir le premier grand terrain d'essai des services interactifs commerciaux.

Défis sociétaux. — Comment l'accès électronique à l'information peut-il devenir un droit fondamental au même titre que la lecture, l'écriture ou le calcul?

Comment éviter que le fossé entre les riches et les pauvres ne s'accentue encore plus, surtout entre les pays du Nord et du Sud?

Si le xxie siècle doit être celui de l'interdépendance des peuples, de quel degré d'identité se satisferont les diverses cultures du globe?

Comment protéger la diversité, c'est-à-dire le pluralisme des sources d'information, seul capable de nous éviter tout discours monopolistique?

Comment notre mémoire collective sera-t-elle gérée par les méga-majors dans le futur? On sait qu'au Moyen Âge cette mémoire était gérée par l'Église, et par les États-nations lors de l'époque industrielle I. Mais les méga-majors qui n'ont plus de pays d'identification font une guerre acharnée pour vendre leurs produits standardisés.

Quelle sera la place de l'école dans l'avenir, lorsqu'on sait que durant l'époque industrielle I elle cimenta la société par ses références (langue, culture, valeurs, conventions, etc.) mais que durant l'époque industrielle II la télévision devint une école parallèle, et depuis 1990, les NTIC?

Va-t-on vivre par écrans interposés? L'utopie du village planétaire de McLuhan cache peut-être un autre visage où le «visible» seulement est le «réel», et le «réel» le «vrai». Y aura-t-il une indifférenciation du réel, du fictif et du virtuel? Qu'arrivera-t-il des morceaux de réel qui ne sont pas vus? Qui contrôlera ce qui sera vu?

Quel type de société sera créé par la culture multimédia, si les cultures orale et écrite ont créé des sociétés entièrement différentes?

Comment diversifier le traitement médiatique des informations afin d'éviter l'aplanissement culturel par une source unique, et de plus extérieure (les méga-majors), pour développer une mosaïque culturelle? Comment ces capacités de développer l'originalité et la diversité, qui sont en train d'exploser techniquement, pourront-elles s'exprimer en termes médiatiques nouveaux?

En créant un nouvel espace-temps médiatique, l'écriture va se renouveler; on annonçait une révolution de l'image, allons-nous assister à celle de l'écrit? N'est-ce pas plutôt une nouvelle situation, non pas de compétition «écrit-images», mais de complémentarité, qui s'annonce?

Bibliographie

Les documents sont présentés par ordre chronologique. Les astérisques indiquent l'importance du document:

***   Très important
**   Important
*   Intéressant

1970

McLuhan, Marshall et Quentin Fiore, *Guerre et paix dans le village planétaire*, Paris, Laffont.

1971

Brzezinski, Zbignew, *La révolution technétronique*, Paris, Calmann-Lévy.

Comité directeur de la télécommission, ministère des Communications, *Univers sans distances. Rapport sur les télécommunications au Canada*, Ottawa, Information Canada.

Japan Computer Usage Development Institute, *Plan pour une société de l'information: un objectif national pour l'an 2000* (Rapport Masuda), Tokyo, MITI.

1978

Nora, Simon et Alain Minc, *L'informatisation de la société* (***), Paris, Seuil.

1979

Braudel, Fernand, *Civilisation matérielle, économie et capitalisme*, Paris, Armand Colin.

1980

Toffler, Alvin, *La troisième vague*, Paris, Denoël.

1981

Glowinski, Albert, *Télécommunications, objectif 2000*, Paris, Dunod.

1983

Union internationale des télécommunications, *World Communications: New Horizons, New Power, New Hope* (**), publié par *Le Monde économique*, Paris.

Bagdikian, Ben, *The Media Monopoly*, Boston, Beacon Press.

Berger, René, *L'effet des changements technologiques*, Paris, Éditions Pierre-Marcel Favre.

1984

Rennel, Jan, *Future of Paper in the Telematic World* (**), Helsinki, Éditions du Groupe Jaakoo Pöyry.

Ancelin, Claire et Marie Marchand, *Le vidéotex. Contribution aux débats sur la télématique* (*), Paris, Masson.

1985

Bressand, Alain et Catherine Distler, *Le prochain monde. Réseaupolis*, Paris, Seuil, coll. «Odyssée».

Braudel, Fernand, *The Structure of Everyday Life: The Limits of the Possible* (*), New York, Harper and Rows.

1987

Ministère des Communications, *Les communications au XXIe siècle. Médias et messages à l'ère de l'information*, Ottawa, ministère des Approvisionnements et Services.

Brand, Stewart, *The Media Lab: Inventing the Future at MIT*, New York, Viking Penguin Inc.

Communauté européenne, *Vers une économie européenne dynamique. Livre vert sur les télécommunications*, Bruxelles, Communauré européenne.

Marchand, Marie (SPES), *Les paradis informationnels. Du minitel aux services de communication du futur*, Paris, Masson et CNET-ENST.

1990

Communications Canada, *The New Media: A Discussion Guide*, préparé pour la Strategic Policy Planning Division, Ottawa, Maclean and Associates.

NAISBITT, John et Patricia ABURDENE, *Méga Tendances. 1990-2000, ce qui va changer* (*), First Documents.

À la découverte des technologies étrangères. Guide des possibilités technologiques dans les différents pays, Ottawa, gouvernement du Canada, ministère des Affaires extérieures et du Commerce extérieur.

GORE, Al, *High Performance Computing Act* (*), Sénat américain (Sous-comité sur la science et la technologie), Washington.

WRIGHT, Karen, «The Road to the Global Village» (**), *Scientific American*, mars 1990, p. 84-94.

QUATERMAN, John S., *The Matrix. Computer Networks and Conferencing Systems Worldwide* (**), Bedford, Digital Press (DEC).

Communauté européenne, *Une approche commune dans les domaines des communications par satellites. Livre vert*, Bruxelles, Communauté européenne.

LÉVY, Pierre, *Les technologies de l'intelligence. L'avenir de la pensée à l'ère informatique*, Paris, Éditions La Découverte, coll. «Sciences et société».

1991

GORE, Al, «Infrastructure for the Global Village. A High-Capacity Network Will Not Be Built Without Government Investment» (**), *Scientific American*, septembre 1991, p. 150-153.

Friend21 Project. A Construction of 21st Century Human Interface (*), Notes de conférence, CHI'91, La Nouvelle-Orléans, avril.

TOFFLER, Alvin, *Les nouveaux pouvoirs* (traduction de *Powershift*), Paris, Fayard.

RAPAPORT, Matthew J., *Computer-Mediated Communications*, New York, Wiliey.

SPROUL, Lee et Sara KIESLER, *Connections: New Way of Working in the Networked World*, Boston, MIT Press.

REICH, Robert B., *The Work of Nations*, New York, Alfred A. Knopf.

Berger, René, *Télévision, le nouveau Golem*, Lausanne, Institut d'étude et de recherche en information visuelle, coll. «Compas».

Leebart, Derek (dir.), *Technology 2001. The Future of Computing and Communication*, Cambridge, MIT Press.

Porter, Michael E., *Le Canada à la croisée des chemins. Les nouvelles réalités concurrentielles* (*), Conseil canadien des chefs d'entreprise et ministère des Approvisionnements et Services, Ottawa.

1992

Convergence, concurrence et coopération, politiques et réglementation concernant les réseaux locaux du téléphone et de la câblodistribution, Rapport des coprésidents du Comité sur la convergence des réseaux locaux, Ottawa.

Partenaires pour le changement: La télévision en transition, Rapports produits à la suite du Sommet de l'industrie de la télévision en décembre 1991, Communications Canada, 1992.

La société de l'information. Nouveaux médias... nouveaux choix, Communications Canada (collectif Télématique et nouveaux médias), Ottawa, ministère des Approvisionnements et Services.

Friend'21, Équipe Friend'21, Tokyo, Institute for Personalized Information Environment, été 1992.

Salomon, Jean-Jacques, *Le destin technologique*, Paris, Éditions Balland.

The Canadian Network for the Advancement of Research, Industry and Education, *CANARIE (Business Plan)*, Ottawa, Canarie Associates.

Breton, Thierry, *La fin des illusions. Le mythe des années high-tech*, Paris, Plon.

Debord, Guy, *La société du spectacle* (*), Paris, Gallimard.

Cartier, Michel (dir.), *Stratégie 2000. Un plan de développement pour l'informatique et les télécommunications du Québec à l'aube de l'an 2000*, Montréal.

Computer Science and Telecommunication Board, *Computing the Future: A Broader Agenda for Computer Science and Engineering*, National Research Council, Washington, National Academy Press, Washington.

1993

TAPSCOTT, Don et Art CASTON (Groupe DMR, inc.), *Paradigm Shift, The New Promise of Information Technology* (***), New York, McGraw-Hill Inc.

CHAMOUX, J.-P., *Télécommunications, la fin des privilèges*, Paris, PUF.

PAROCHIA, Daniel, *Philosophie des réseaux* (*), Paris, PUF.

BRETON, Philippe et Serge PROULX, *L'explosion de la communication* (*), Paris, Éd. La Découverte.

AMES, Patrick, *Beyond Paper* (***), Mountain View, Adobe Press.

MINC, Alain, *Le média choc*, Paris, Éd. Grasset et Fasquelle.

SHEFF, David, *Game Over. How Nintendo Zapped an American Industry, Captured Your Dollars, and Enslaved Your Children*, New York, Random House Inc.

GORE, Al, *The National Information Infrastructure: Agenda for Action* (**), Washington, gouvernement américain, Maison-Blanche, Washington.

DRUCKER, Peter F., *Au-delà du capitalisme. La métamorphose de cette fin de siècle* (trad. de *Post-Capitalist Society*), Paris, Dunod.

STIX, Gary, «Domesticating Cyberspace» (**), *Scientific American*, août 1993, p. 101-110.

KAPOR, Mitchel, «Where Is the Digital Highway Really Heading: The Case for a Jeffersonian Information» (***), *Wired*, juillet/août 1993, p. 53-59.

KOCHMER, Jonathan, *Internet Passport*, Bellevue, NorthWestNet et Northwest Academic Computing Consortium inc.

KEHOE, Bredan P., *Zen and the Art of the Internet: A Beginner's Guide*, Englewood Cliffs, P T R Prentice Hall, 1993.

VASSEUR, F., *Les médias du futur*, Paris, PUF, coll. «Que sais-je ?», n⁰ 2685.

Manifeste de L'Arche (collectif), *Une vision des enjeux liés aux NTIC* (**), Paris, Éditeur L'Arche.

KARMITZ, Marin (dir.), *La création face aux systèmes de diffusion* (**), Paris, Commissariat général du plan, La documentation française.

FISCHER, Sharon, *Riding the Internet Highway: Complete Guide to 21st Century Communications*, Carmel, New Riders Publishing.

TAYLOR, David L., *Can You Afford Not to Upgrade to Electronic Commerce?* (**), Stanford, Gartner Group.

BSB Media Research & Technology Department, *BSB Projections: 2002, Future Effects of New Consumers and Commercial Communication Technologies* (***), New York, Backer Spielvogel, Bates Inc.

DAVIS, John M.C. (dir.), *ACCESS Canada, Common Information Systems and Services Infrastructure For the Federal Government*, Ottawa, Public Works and Government Services Canada.

OSTRY, Bernard, *The Electronic Connection: An Essential Key to Canadian's Survival* (*), Toronto, Rapport.

CAMPBELL, Bruce, *Multimedia: An Awakening Giant, Its Benefits and Strategic Impact on Canada's Cultural Industries*, Trade and Exports, Ottawa, New Media Branch, Industry & Science Canada, Ottawa.

1994

GORE, Al, *Vice-President Proposes National Telecom Reform* (*), Discours, Los Angeles, 11 janvier 1994.

Communauté européenne: Livre vert, *Fin des monopoles*, Bruxelles, Communauté européenne.

Commission des Communautés européennes, *Catalogue of ITT Publications*, Bruxelles, Office des publications officielles des CE, 3ᵉ édition.

POPCORN, Faith, *Le Rapport Popcorn. Comment vivrons-nous l'an 2000?*, Montréal, Éditions de l'Homme.

TOFFLER, Alvin et Heide, *Guerre et contre-guerre. Survivre à l'aube du XXIᵉ siècle*, Paris, Fayard.

KENNEDY, Paul, *Préparer le XXIᵉ siècle*, Paris, Éditions Odile Jacob.

Équipe UBI-Vidéotron, *UBI. La première inforoute électronique au foyer*, Montréal et Chicoutimi, Dossier de lancement du Consortium UBI.

Équipe Canarie, *Canarie. Le réseau canadien pour l'avancement de la recherche de l'industrie et de l'enseignement*, Ottawa, Conférences, Industrie Canada.

Collectif, *Stepping Stones: A Summary of Powering Up North America* (**), Toronto, Notes de la conférence ITAC/CATA.

Decima Research, «Attitudes Toward the Information Superhighway: Among Canada's Information Technology Community», Ottawa, *The Decima Quarterly*, février 1994.

MACDONALD, J.A. et I.D. CLARK, *Plan directeur pour le renouvellement des services gouvernementaux à l'aide des technologies de l'information* (**), Ottawa, Conseil du Trésor du Canada.

TOLHURST, PIKE, BLANTON et HARRIS, *Using the Internet*, Indianapolis, QUE Corporation.

BRAUN, Eric, *The Internet Directory*, New York, Fawcett Columbine.

Collectif, «Nouvelles technologies et communication. Des inforoutes pour aller où?» (***), Paris, *Le nouveau Politis*, nᵒ 18, mai-juin, 1994.

BROWN, Les, *The Seven Deadly Sins of the Digital Age* (**), Caracas, Conférence au Symposium international sur les NTI, juin, 1994.

BALDWIN, Susan, *Canada's Information Highway*, Ottawa, Dossier du ministère du Patrimoine (Canadian Heritage).

MAYER, René, *Construire un marché européen de l'information* (**), Paris, Dossier de la journée «Impact II», 30 mai 1994.

Andersen Consulting, *The Information Highway. What Canadians Think about the Information Highway*, Ottawa, Andersen Consulting.

Secteur du spectre, des technologies de l'information et des télécom., *L'inforoute canadienne de l'information. Une nouvelle infrastructure de l'information et des communications au Canada*, Ottawa, Industrie Canada.

ACTC, *Une vision claire: Câble vision 2001* (*), Montréal, Association canadienne des télévisions par câble.

MILLER, Michael J. (dir.), «The Changing Office» (**), *PC Magazine*, 14 juin 1994, vol. 13, nᵒ 11.

SHEPARD, Stephen B. (dir.), «The Information Revolution» (***), *Business Week*, numéro thématique spécial, juillet 1994.

ELMER-DEWITT, Philip, «The Strange New World of the Internet» (***), *Time*, 25 juillet 1994, p. 40-45.

PETRE, Peter (dir.), «Managing in a Wired World» (***), *Fortune*, 11 juillet 1994, vol. 130, nᵒ 1.

DeLOTTINVILLE, Paul, *Shifting to the New Economy: Call Centers and Beyond*, Toronto, Coop Clark Longman Ltd.

Collectif, «Internet Technology», Communications of the ACM, août 1994, vol. 37, nᵒ 8.

GAGNON, Eric, *What's On The Internet, Winter 1994/95*, Berkeley, Peachpit Press, Internet Media Corporation.

EAGER, Bill, *The Information Superhighway Illustrated* (*), Indianapolis, QUE Corporation.

OTTE, Peter, *The Information Superhighway: Beyond The Internet*, Indianapolis, QUE Corporation.

MCCLAIN, Gary R. (dir.), *Handbook of Networking & Connectivity*, Academic Press Inc.

THÉRY, Gérard, *Les autotoutes de l'information* (Rapport Théry) (*), Paris, La Documentation française.

GARCEAU, Louis-G., *La super-autoroute de l'information: un défi pour l'Afrique*, Conférence prononcée le 2 février 1994, Université Senghor, Alexandrie, Égypte.

OSTRY, Bernard, *The Electronic Connection: An Essential Key to Canadians' Survival*, Ottawa, Department of Canadian Heritage.

L'autoroute électronique, Ottawa, Service de communication, ministère du Patrimoine canadien.

L'autoroute canadienne de l'information. Une nouvelle infrastructure de l'information et des communications au Canada, Ottawa, Industrie Canada.

GERRARD, Jon, *Building the Canadian Information Highway*, conférence prononcée au colloque «Powering up North America», Crown Plaza, Toronto, Industrie Canada, Toronto, 2 février 1994.

Task Force Report, National Science Foundation, *Educating the Next Generation of Information Specialists: A Frame Work for Academic Program in Informatics*, Lafayette, University of Southwestern Louisiana.

GORE, Al, *The Global Information Infrastructure* (**), discours prononcé devant l'International Telecommunications Union, à Buenos Aires, 21 mars 1994.

Europe and the Global Information Society (Rapport Bangemann) (**), Bruxelles, CEE, 26 mai 1994.

National Telecommunications and Information Administration, Textes de réunion, Washington, Advisory Council on the NII.

IRVING, Larry, *The NII: Public Institutions as On-Ramps*, Boston, WGBH Business Forum, 12 octobre 1994.

LEROY, Claire (dir.), «Autoroutes de l'information. Pour aller où et à quel prix ?» (*), Paris, *Le Monde informatique*, n" 567, 8 juillet 1994.

BROWNE, Steve, *The Internet Via Mosaic and World-Wide-Web*, Emeryville, Zipff-Davis Press.

BUTLER, Mark, *Internet... tout de suite*, Paris, Dunod.

ELLIS, David, *La culture et l'autoroute de l'information. Nouveaux rôles des télécommunications et des fournisseurs de contenus*, Ottawa, Stentor politiques publiques Télécom Inc.

TAPSCOTT, Don et Art CASTON, *L'entreprise de la deuxième ère. La révolution des technologies de l'information*, Paris, Dunod.

PRITCHETT, Price, *Le choc du travail: s'adapter pour survivre - Manuel de l'employé* (*), Pritchett & Associates Inc., Dallas, 1994.

CAMPBELL, Burke, *L'autoroute de l'information*, Ottawa, Industrie Canada.

Collectif, *Cyberspace and the American Dream: A Magna Carta for the Knowledge Age*, Washington.

LAQUEY, Tracy, *Sésame pour Internet. Initiation au réseau planétaire*, Paris, Éditions Addison-Wesley.

Collectif (AFEE, GESTE, GFII), *Autoroutes de l'information* (*), Paris.

BENZONI, L. et L. HAUSMAN, *Innovation, déréglementation et concurrence dans les télécommunications*, Paris, Eyrolles.

CHALMIN, P. (dir.), *Cyclope 1994. Les marchés mondiaux*, Paris, Économica.

MUSSO, Pierre (dir.), *Communiquer demain. Nouvelles technologies de l'information et de la communication* (*), Paris, DATAR/ Éditions de l'Aube.

SCHEER, L., *La démocratie virtuelle*, Paris, Flammarion.

Collectif, *Les autoroutes de l'information et la mise en place d'une industrie globale de l'information aux États-Unis*, Paris, Rapports du Sénat, n° 245, Commission des Affaires culturelles, Sénat.

1995

Rapport G7 (*), Bruxelles.

Groupe de Lisbonne, *Limites à la compétitivité. Vers un nouveau contrat mondial* (**), Montréal, Boréal.

GARAND, Marie-France (dir.), «Inforoutes: mythes et réalités» (**), Paris, Institut international de géopolitique, *Revue géopolitique*, hiver 1994-1995, n° 48.

Sɪʀoɪs, Charles et Claude E. Fᴏʀɢᴇᴛ, *Le médium et les muses. La culture, les télécommunications et l'autoroute de l'information* (**), Montréal, Institut de recherche en politiques publiques.

Bell et sa vision de l'autoroute de l'information, Montréal, Bell Canada, Communications institutionnelles.

Collectif, *TechnoMania: The Future Isn't What you Think* (*), numéro spécial thématique de *Newsweek*, 27 février 1995.

Collectif, *Surfez sur Internet*, Paris, Micro Applications, Paris.

Gɪʙʙs, M. et R. Sᴍɪᴛʜ, *Internet Livre d'or*, Sybex, Paris et San Francisco, Sybex.

Bʟᴀɴǫᴜᴇᴛ, Marie-France, *Autoroutes électroniques et téléports* (**), Paris, ESF éditeur.

Nᴇɢʀᴏᴘᴏɴᴛᴇ, Nicholas, *L'homme numérique* (***), Paris, Robert Laffont.

Dᴇ Rᴏsɴᴀʏ, Joël, *L'homme symbiotique. Regards sur le troisième millénaire* (***), Paris, Seuil.

Kʀᴏʟ, Ed, *Le monde Internet. Guide et Ressources*, Paris, Éditions O'Reilly International Thomson.

Bᴀᴜᴍᴇ, Renaud de la, et Jean-Jérôme Bᴇʀᴛᴏʟᴜs, *Les nouveaux maîtres du monde* (**), Belfond, Paris.

Gᴏʏᴇʀ, Nicole, Jean Lᴀʟᴏɴᴅᴇ et André Lᴀᴜʀᴇɴᴅᴇᴀᴜ, sous la direction de Jean Lᴀʟᴏɴᴅᴇ, *Internet au bout des doigts*, Éditions du Trécarré, Saint-Laurent.

Comité consultatif sur l'autoroute de l'information, *Le défi de l'autoroute de l'information. Contact, communauté, contenu*, Ottawa.

Gᴀᴛᴇs, Bill, *La route du futur* (***) (trad. de *The Road Ahead*), Robert Laffont, Paris.

Sᴛᴀʟʟ, Clifford, *Silicon Snake Oil. Second Thoughts on the Information Highway* (**), Doubleday, New York.

Hᴀʀᴠᴇʏ, Pierre-Léonard, *Cyberespace et communautique. Appropriation, réseaux, groupes virtuels*, Québec, PUL.

Bʀᴇᴛᴏɴ, Philippe, *L'utopie de la communication. Le mythe du «village global»*, Paris, La Découverte.

Lᴇ́ᴠʏ, Pierre, *L'intelligence collective. Pour une anthropologie du cyberespace*, Paris, La Découverte.

LÉVY, Pierre, *Qu'est-ce que le virtuel?* Paris, La Découverte.

SOHIER, Dany J., *Le guide de l'internaute 1996*, Montréal, Les Éditions Logiques.

VENNE, Michel, *Ces fascinantes inforoutes*, Montréal, Institut québécois de recherche sur la culture, collection «Diagnostic».

TURKLE, Sharon, *Life on the Screen: Identity in the Age of the Internet*, Simon and Schuster, New York.

1996

GUÉDON, Jean-Claude, *La planète cyber. Internet et cyberespace*, Découverte Gallimard / Série Techniques, Paris.

Lexique

Dans le domaine des NTIC et des inforoutes, beaucoup de mots (surtout les «buzzwords» américains) sont encore imprécis parce que leur concept ou leur technique ne font qu'émerger, «groupware» par exemple, tandis que d'autres mots sont progressivement oubliés devant l'apparition de nouveaux, vidéotex par exemple.

A

@ (*at*) Symbole servant de séparateur dans une adresse électronique; il se place entre le nom du serveur hôte et celui de l'internaute (voir: adresse électronique).

accès commuté (connexion commutée, *dial-in*) Établissement d'une communication entre un utilisateur et un ordinateur au moyen d'un modem relié au réseau téléphonique commuté.

adresse électronique (*electronic mail address, email address, internet address*) Numéro mnémotechnique grâce auquel un utilisateur peut se connecter à une inforoute; c'est la «carte d'identité» d'un utilisateur qui contient: son nom @nom du serveur hôte.pays.

adresse url (*uniform resource locator*) Système d'adressage universel permettant d'accéder à un site www. L'ensemble des données comprend la méthode d'accès, le nom du serveur et le chemin.

agent logiciel (agent intelligent, agent d'interface, *clipping folders, knowbot* contraction de *knowledge* et *robot*). (Voir **fureteur**.) Logiciel (issu des techniques d'intelligence artificielle et de programmation orientée-objet) qui, sans prise de conscience de l'utilisateur, l'aide à résoudre des opérations à l'avance. C'est un assistant électronique personnalisé paramétrable.

alias   Nom simplifié de substitution pour une adresse électronique plus complexe.

american on line (AOL)   Prestataire de services commerciaux en ligne sur Internet.

antenne parabolique (récepteur numérique de signaux des satellites, *digital satellite system* ou dss)   Soucoupe domestique permettant de recevoir un signal de télévision transmis par satellite.

antivirus   Logiciel destiné à détecter et à détruire les virus informatiques.

applets (contraction de *mini applications* et *net*?)   Petite application interactive téléchargée à partir d'un serveur, sur un *low cost Internet box* (*network computer, web computer, hollow pc* ou terminal à tête creuse), qui n'a donc pas à être lue par un micro-ordinateur (programmé en Java).

application révolutionnaire.   Voir *killer application*.

archie (contraction de archives?)   Programme de recherche qui trouve des fichiers dans des archives réparties dans Internet (via FTP anonyme). Développé à l'Université McGill.

assistant électronique (*personal digital assistant* ou *pda*)   Combinaison d'un ordinateur et d'un agenda électronique, souvent doté de reconnaissance de l'écriture manuscrite.

ascii étendu (*americain stantard code for information interchange*)   Norme à sept bits utilisée pour l'échange d'informations permettant d'obtenir une compatibilité des services sur les échanges de données. Elle fournit 256 codes grâce à un jeu standard et à un jeu étendu.

atm (*asynchronous transfer mode*, technique temporelle asynchrone)   Technique et standard de réseau très rapide permettant la transmission asynchrone de vastes quantités d'informations sous la forme de la voix, d'images vidéo et de données (où les paquets de données peuvent être diffusés jusqu'à 155 mégabits/sec).

autoroute.   Voir **inforoute**

B

bande passante (*bandwidth*) Largeur de bande d'un canal de transmission servant à transmettre un signal. Son amplitude est mesurée en mégahertz (MHz) (sa capacité est exprimée en bits par seconde ou bps). De ses caractéristiques dépend la qualité du signal transmis et reçu, donc le nombre d'informations qui peuvent y être véhiculées (voir baud). Les messages vocaux sont véhiculés sur des bandes étroites, tandis que les messages multimédias exigent des bandes larges.

bandes C et Ku Bandes affectées aux transmissions par satellite.

banque de données (*Data Bank*, base de données) Ensemble des fichiers informatisés contenant des informations structurées sur un domaine précis et accessibles à distance grâce aux inforoutes.

bavardage (*chat*) Session interactive d'échanges d'idées en temps réel entre internautes.

baud Unité pour mesurer en bps la vitesse de transmission entre deux modems (du nom de son inventeur Baudot). BPS: unité de mesure de la vitesse de transfert des bits par seconde (voir **T1 et T3**).

bbs (*bulletin board systems, electronic bulletin boards, news group*, voir *Usenet*) Microserveurs (micro équipé d'un modem et d'un logiciel spécifique) d'informations et de messagerie accessibles par modem. Sorte de centre de courrier électronique et de distribution de fichiers divers: *news, sharewares, freewares,* images, textes, etc.

bidirectionalité (duplex) Qui transmet l'information dans les deux sens.

bit (contraction de *binary digit*) Unité d'information représentée par zéro ou un et toute matérialisation de ces chiffres dans le système.

bogue (*bug*) Une erreur de conception ou de programmation dans l'écriture d'un programme.

boîte aux lettres Espace de mémoire d'un serveur où peuvent être stockés des messages envoyés à une adresse privée.

boîtier-compteur (décodeur, boîte de contrôle, *set-top box, two-way communication device, low cost Internet box*) Un boîtier relié au téléviseur qui traite (décompresse) les données, sert de support mémoire local, permet les activités interactives et calcule la quantité de données à des fins de facturation. Il permet à un téléviseur de devenir un appareil bidirectionnel, c'est-à-dire interactif.

borne interactive (vidéocatalogue, guichet) Appareil équipé d'un écran, d'un ordinateur ou d'un CD-ROM (en réseau ou non), permettant de consulter une banque de données ou d'effectuer une transaction.

butineur. Voir **fureteur.**

C

câble coaxial (coax) Câble de haute capacité servant à la télédiffusion et capable de véhiculer de grandes quantités d'informations.

calvacom Réseau en langue française proposant trois services: CalvaCom2, CalvaNet et CalvaPro.

capture d'écran (*frame grabber*) Logiciel enregistrant sous forme d'images numériques des informations graphiques affichées sur l'écran de l'ordinateur.

carte à mémoire (carte «intelligente») Carte magnétique, à puce ou optique, dans laquelle est encastré un support de mémorisation (dimensions normées: 85,5 × 54 mm).

catv (*community antenna tv*) Installation collective de réception satellite ou de télédistribution.

cd (disque compact, *compact disk*) Un disque sur lequel on enregistre de l'information:

> **CD-ROM** information multimédia
> **CD-audio** sons
> **CD-photo** photographies numérisées
> **CD-vidéo** voir vidéodisque
> **CD-I** contenu interactif (lu à partir d'une console raccordée à un téléviseur)
> **CD-DVD (*digital video disc*)** disque numérique vidéo permettant d'enregistrer ou d'effacer (4,3 giga-octets ou 133 minutes d'images vidéo, soit 27 fois plus qu'un CD-ROM).

cebus (*CEBus*) Standard (de facto) pour la communication en domotique.

cellulaire (*cellular*) Téléphone bidirectionnel utilisant un réseau d'antennes.

client-serveur (*client-server*) Système permettant à l'utilisateur d'un réseau d'avoir accès à l'ensemble des données d'un serveur.

clipper Projet de circuit électronique (*chip*) permettant de chiffrer des messages tout en garantissant que le gouvernement américain peut les déchiffrer.

codec (contraction de codeur-décodeur) Algorithmes de compression et de décompression de messages parlés.

commerce électronique Ensemble des activités commerciales impliquant la transmission électronique des données: courrier électronique, transferts électroniques de fonds, cartes à mémoire, échange de données informatisées (EDI), etc.

communication mobile (*personal communication services, cellular communications, telepoint technologies, advanced cordless technologies*) Technique de communication sans fil utilisant un numéro de téléphone par appareil.

communication multipalier (*multi step flow of communication*) Théorie de la communication selon laquelle l'information circule dans la société par paliers, suscitant en retour une participation de l'homme canalisée par les mêmes paliers. Ces paliers sont des espaces publics requérant une architecture de système, des contenus et des services qui leur sont propres.

communication de paquet (*packet switching*) Technique de transmission dans laquelle on diffuse le message à transmettre en paquets; ceux-ci sont envoyés et réassemblés à la réception par le système.

communication sans fil (*wireless communication, mobile, nomade*) Dispositif de communication portatif ou mobile utilisant les ondes radio.

commuté (ligne commutée, *dial-up line*) Réseau établi au moment de la communication par le réseau téléphonique entre deux systèmes.

compression numérique Ensemble des techniques (jpeg, gif, stuffit, etc.) servant à compacter les données inutiles ou les moins significatives des signaux d'origine, après échantillonnage, afin d'occuper le moins de place possible dans les espaces mémoires ou les inforoutes. Elles permettent de diffuser une plus grande quantité d'informations sur une moins grande largeur de bande.

concepteur médiatique (*cultural engineer, scripter*) Personne capable de concevoir, de produire, de gérer et de diffuser des informations grâce à des systèmes télématiques. Cette personne produit des contenus, des services et des applications, selon les règles médiatiques, les adaptant à un média possédant des qualités précises et une grammaire propre.

compuserve Prestataire de services commerciaux en ligne utilisant Internet.

contenu (*content*) Valeur ajoutée aux données, une information sur l'information qui prend la forme de services, d'applications, de bases de connaissances, de programmes (au sens d'émissions de télé-vision ou de films), de didacticiels, de télévision interactive, d'infospectacle, etc., en un mot des ressources que le consommateur désire se procurer pour son bien-être.

Services: activités qui exigent des transactions répétées. Produits: activités qui n'exigent qu'un seul achat de la part de l'usager. Applications: activités qui exigent l'utilisation de logiciels, de progiciels ou de didacticiels.

convergence médiatique (voir **multimédia**)   Fusion de supports médiatiques.

convergence technologique   Fusion technique des télécommunications, de l'audiovisuel et de l'informatique.

couch potato culture. Voir **culture du canapé**.

convivialité (facilité d'emploi ou d'utilisation, *amical, user friendly, congenial*)   Qualité logicielle permettant à l'utilisateur de procéder dans une langue et par des démarches qui lui semblent naturelles.

coupe-feu (*firewall*, mur de flamme)   Logiciel de protection placé entre un réseau et Internet pour maintenir les utilisateurs non autorisés hors de ce périmètre.

courrier électronique. Voir **messagerie électronique**.

cryptage (encryptage, *encryption*, chiffrement, algorithmes cryptographiques)   Algorithme encodant un message de manière à ce qu'il ne soit lu que par l'utilisateur choisi par l'émetteur.

cu-seeme (se prononce à l'anglaise: *see you, see me*)   Programme de vidéoconférence utilisant un micro-ordinateur, un réseau, un micro, une caméra, des hauts-parleurs ainsi que des algorithmes de compression (conçu à l'Université de Cornell).

culture de canapé   Habitudes des gens qui sont de grands consommateurs d'infospectacle.

cyber   Tout ce qui se rapporte aux modes de pensée et de vie liés aux NTIC (du verbe grec signifiant «gouverner», et utilisé en 1945 pour créer le mot cybernétique).

cybercafé (café électronique)   Établissement public où l'on peut surfer sur Internet moyennant un tarif à l'heure.

cyberespace (électrosphère, *cyberspace*)   Espace-temps électronique créé par les inforoutes. Un monde invisible où il n'y a pas de limitation de vitesse, pas de gravité et où le temps et l'espace n'ont plus la même signification. Terme inventé par William Gibson dans son roman *Neuromancer*.

D

didacticiel Logiciel à fonction pédagogique.

diffusion ciblée (*narrowcasting*) Diffusion de contenus, services ou applications, à des publics ciblés.

domotique (de *domus*, maison, immotique, *smart building* ou *smart house*, *home automation systems*) Ensemble de services de l'habitat assurés par des systèmes automatisant plusieurs fonctions et pouvant être connectés entre eux et à des réseaux extérieurs de communications.

dvi (carte dvi) Algorithme de compression destiné aux séquences vidéo.

E

école minimaliste Approche offrant au néophyte un accès convivial à partir des trois principes suivants:

> ➤ diviser le trop grand nombre de choix en grands groupes (par l'emploi de macrofonctions);
> ➤ offrir une démarche par étapes;
> ➤ offrir un feedback en tout temps.

edi (échange de données informatiques, *ddi*, échange électronique de données ou eed) Normes pour les échanges commerciaux de données entre ordinateurs appartenant à des sociétés différentes. Elles permettent la transmission électronique de fichiers de formats déterminés à l'avance.

éditeur électronique Plus qu'un simple imprimeur ou un libraire électronique, l'éditeur cherche à établir un lien entre les créateurs (écrivains, artistes, etc.) et les demandes du public grâce aux concepteurs médiatiques. Il fournit le capital de risque, organise les contenus et entreprend leur marketing.

électronique grand public (*consumers electronic*, informatique grand public, électronique de masse) Ensemble de machines à communiquer utilisées par le grand public. Ceci suppose une simplification radicale de l'utilisation des logiciels et de l'accès aux contenus (voir l'école minimaliste).

elm (contraction de *electronic mail*) Programme simplifiant l'utilisation du courrier électronique sur Internet.

émoticon (contraction de *emotion* et *icon*, binette, *smiley*) Un petit visage fait avec une combinaison de lettres dont l'impression traduit l'état d'esprit de l'expéditeur.

en ligne (*in line*, en réseau; antithèse de hors ligne) Mode de fonctionnement d'un système branché sur une ou des inforoutes.

ethernet Réseau local permettant de relier les ordinateurs d'une même entreprise (développé par Xerox).

exformation (antithèse d'information) Accumulation de données qui ne sont pas traitées faute de temps et de personnel compétent.

F

faq (*frequently asked question*, questions fréquentes, fichier questions-réponses) Liste de questions fréquemment posées concernant des archives appartenant à un groupe (voir groupe de discussion). Compilations souvent réalisées par des bénévoles.

fibre optique Technique de transmission à l'aide d'un mince fil de fibre de verre acheminant, à l'aide d'une impulsion laser, de vastes quantités d'informations, à la vitesse de la lumière. Voir **laser**.

fichier (file) Ensemble d'informations de même nature ou concernant un même sujet.

fournisseur de services (fds, fournisseur de contenus, prestataire de services, *information provider*, *content provider*) Acteur qui produit et offre un accès à certains contenus et administre la connexion avec les serveurs.

freenet (libertel) Réseau communautaire d'information permettant d'avoir accès gratuitement aux services offerts par les organismes locaux.

freeware (graticiel) Logiciel gratuit souvent accessible par les inforoutes. Ne pas confondre avec *shareware* pour lequel l'auteur demande une contribution (voir *shareware*).

ftp (*file transfer protocole*) Protocole permettant le téléchargement de dossiers.

fureteur (*browser*, navigateur, logiciel de navigation) Logiciel qui permet de retrouver une information dans un réseau. Voir **navigation**.

G

gant de données (*data glove*) Gant utilisé dans les applications de réalité virtuelle.

gif (*graphic interchange format*) Standard servant à compresser des images dans des fichiers.

gopher Protocole de balayage permettant de trouver rapidement des informations d'un serveur à l'autre en sélectionnant des options.

gps (*global-positioning satellite system*) Système de satellite indiquant en tout temps la position de l'utilisateur (longitude, latitude et altitude).

groupe de discussion (babillard électronique, groupe de news, forum de news ou de conférences, forum électronique, *interest group, news group*) Système permettant de diffuser des messages classés par rubriques. Un groupe de news peut être animé (*moderated*) par un animateur (*moderator*) qui lance des sujets de discussion et modère les ardeurs de certains participants, etc. Un groupe de discussion appartient à un groupe d'intérêt thématique et réunit des articles autour d'un thème et selon une perspective hiérarchique, c'est-à-dire du plus général au plus particulier. Voir **Usenet**.

groupware. Voir **télétravail en groupe**.

H

hacker (technofriands, mordu, cyber-branché) Un passionné des NTIC et des inforoutes.

hertz Unité de mesure de fréquence correspondant à un cycle par seconde (du nom de son inventeur: Hertz).

hors ligne (*off line*, autonome, non connecté, en opposition à «en ligne») Service ou application autonome, c'est-à-dire non distribué électroniquement; voir les produits dérivés.

hôte. Voir **serveur**.

html (*hypertext mark-up language*) Langage informatique définissant la syntaxe des pages du web (www). Il donne à un document une forme constante quel que soit l'ordinateur utilisé pour le consulter, et permet d'y introduire des liens.

hypermédia Média dont le contenu est présenté de façon telle qu'il permet une navigation non linéaire grâce à des liens créés et refaits entre divers éléments.

hypertexte (*hypertext*, hyperdocument) Texte multidimensionnel, c'est-à-dire à références croisées avec d'autres textes, offrant à l'utilisateur un accès intuitif; technique de réseau associatif permettant de passer d'un élément d'information à un autre. Terme inventé par Ted Nelson en 1965.

image-écran multimédia image (dessin, graphes, texte, photos, sons, etc.) disponible via les inforoutes grâce à différentes normes (jpeg, gif, etc.).

industrie du contenu (industrie de la connaissance, *knowledge industry, entertainment industry,* industries culturelles, industrie de l'information et du spectacle, industrie du numérique) Ensemble des productions humaines sur support en ligne et hors ligne. Le terme «industries culturelles» ne comprend habituellement que les produits de l'édition, de la vidéo et du cinéma.

infocosme Ensemble des marchés des éditeurs, des câblo-opérateurs, des exploitants de télécommunication, des studios de production, des éditeurs de jeux ou de didacticiels, etc. Mot créé par le Cabinet Arthur Andersen.

infographie Ensemble des techniques matérielles et logicielles nées de la rencontre entre l'informatique et les arts graphiques, permettant le traitement informatisé de l'information sur papier ou écran.

information Ensemble cohérent qui constitue pour l'utilisateur une unité de connaissance. C'est un élément de connaissance susceptible d'être représenté à l'aide de conventions pour être conservé, traité ou communiqué. C'est la quantité d'imprévisibilité qu'apporte un message. L'information entre dans la formation et l'acquisition de la connaissance (celle-ci étant la compréhension que l'on a d'une situation ou d'un événement).

> ➤ En médiatique: élément de connaissance susceptible d'être médiatisé à l'aide de conventions pour être conservé, traité ou communiqué.
> ➤ En informatique: élément pouvant être transmis par une combinaison de signaux.
> ➤ En communication: ce que contient un message quelconque perçu comme tel.

Théorie de l'information: étude formelle et systématique des règles et des principes qui fixent et contrôlent le phénomène global de la génération de l'information dans la démarche de la connaissance. Cette théorie est une grammaire de l'information permettant de gérer celle-ci comme une ressource naturelle, mais qui est en même temps un univers abstrait comme les mathématiques. Elle est fondée sur les besoins généraux en information: comment celle-ci se développe et comment elle s'intègre au plan de la connaissance.

information superhighway (*national information infrastructure* ou *nii, global information infrastructure* ou *gii*) Projet annoncé par l'équipe Clinton-Gore durant leur campagne électorale de 1992. Son nom véritable est *National Information Infrastructure* qui, présenté à la réunion du G7 en mars 1995, s'est étendu aux pays industrialisés sous le nom de *Global Information Infrastructure*.

infomercial Publicité scénarisée.

information télévisée en continu (services d'information en continu, canal de nouvelles en continu, *headline news*) Service spécialisé d'information 24 heures sur 24, doublé d'un service d'information interactif (bulletins, magazines électroniques, consultation d'articles de presse et d'images, courrier électronique avec des journalistes, etc.).

inforoute (*knowledge highway, information network, electronic highway, information highway, i-way, infobahn* inspiré d'*autobhan*, autoroute électronique, autoroute de l'information, *net, web, matrix, datasphere, metaverse, electronic frontier, i.s., multichannel multipoint distribution systems* ou *mmds, infopike, digital information network*)

> ➤ Au point de vue technologique: un réseau de réseaux à haut débit.
> ➤ Au point de vue économique: une place de marché international formée de diverses sphères de distribution où des clientèles consomment des contenus.
> ➤ Au point de vue sociétal: un nouveau circuit se plaçant entre les fournisseurs et les consommateurs.

infospectacle (*infotainment* contraction de *information* et *entertainment*, infoloisirs, *home-theater concept*) Réception télévisée d'informations sous la forme de spectacle.

intelligence artificielle (ia) Partie de l'informatique qui met en jeu des représentations symboliques de la connaissance.

interactivité (*interactive, conversational, direct-manipulation system, transparent technology*) Qualifie les matériels, les programmes ou les modalités d'exploitation qui permettent des actions réciproques en mode dialogué avec des utilisateurs ou en temps réel avec des appareils, de telle manière que les opérations se déroulent quasi instantanément d'étape en étape. L'interactivité rejoint l'ego et l'affectivité de l'utilisateur; elle naît du mariage de la culture et de la technologie et décrit les qualités de ce dialogue.

interface Module matériel et/ou logiciel permettant l'échange d'informations entre les composantes d'un système ou entre un système et son environnement.

interface scusi (*small computer system interface*) Standard d'interface permettant de raccorder des périphériques intelligents (imprimante, disque dur ou CD-ROM).

interface-utilisateur (gestionnaire d') (*gui, user interface design, wimp, look and feel*) Logiciel gérant les éléments concernés par les réponses que le système informatique doit fournir selon les demandes transactionnelles de l'utilisateur.

internaute (*net-citizen, netizen, internetter, cybernaut*) Utilisateur d'Internet.

internet Un réseau mondial de réseaux, reliant des millions d'ordinateurs, situés principalement dans les universités, les ministères et les entreprises, pour l'échange d'informations.

intranet Réseau local (*LAN*) privé utilisant l'infrastructure et les normes techniques Internet, dédié à l'usage restreint d'une entreprise.

ipng (*internet protocole next generation*, s'écrit IPng) Prochaine génération du protocole Internet (la sixième).

irc (*internet relay chat*) Radio amateur version Internet permettant de bavarder (*chat*) en temps réel avec d'autres utilisateurs (similaire au *CB*).

J

jeux vidéo (jeux électroniques, *videogames*) Jeux associant une console informatique, un lecteur de CD et un moniteur de micro-ordinateur ou un téléviseur.

jpeg (*joint photographic expert group*) Norme pour la compression d'images fixes (photos).

K

killer application (application révolutionnaire) Application dont l'effet d'entraînement permet l'essor exponentiel d'un marché en ligne.

L

lan. Voir **réseau local**.

langage médiatique (*computer mediatic communication*) Nouvelle écriture codée suscitée par les convergences technologiques et médiatiques des nouvelles technologies d'information et de communication (NTIC). C'est une réorganisation culturelle de la présentation et de l'accès à l'information.

laser   Technologie permettant la transmission d'un signal de haute fréquence.

libertel. Voir **freenet**.

liste listserv (*automatic discussion list service, mailing list server, list administrator*)   Programme permettant la gestion automatique de listes de messageries particulières.

low cost internet box. Voir **network computer**.

M

médiatique (*mediatics, mediated communication*, ergonomie intellectuelle)   Science de l'interface-utilisateur se préoccupant d'optimiser les interactions entre les phénomènes humains de perception et d'expression et les systèmes d'information, c'est-à-dire de l'adaptation de ces systèmes aux comportements humains et aux structures d'organisation socioculturelle, donc une recréation de sens. La médiatique utilise une vaste panoplie de moyens traditionnels (audiovisuel, graphisme, etc.) et de nouvelles techniques (télécommunications, infographie, interactivité, etc.) pour la conception, la production, la gestion et la diffusion de contenus et de services informationnels sous une forme adaptée à ses objectifs.

médiatisation des contenus et des services (infographie interactive, *information design, electronic imaging*)   Adaptation de l'information à un support particulier, aux plans de l'organisation et de la présentation visuelle et sonore, ainsi qu'aux stratégies navigationnelles ou d'aide à la prise de décision.

méga-major   Conglomérat d'entreprises (par alliances verticales) visant à contrôler une partie de l'industrie du contenu.

messagerie électronique (courrier électronique, *electronic mail, e-mail*)   Service d'échanges privés, entre individus ou groupes, de messages électroniques à partir de boîtes aux lettres électroniques. C'est le service le plus ancien et le plus répandu.

microsoftnet (msn)   Réseau commercial créé par la compagnie Microsoft s'appuyant sur l'utilisation de Windows 95, OLE, etc. Il offre des services gratuits et payants; il peut aussi devenir un réseau fermé pour une entreprise qui loue un espace réservé.

midi (*musical instrument digital interface*)   Protocole permettant les communications entre les instruments de musique et un système informatique; il contient les codes qui indiquent au synthétiseur les instruments à utiliser et les notes à jouer.

MODEM (contraction de modulateur-démodulateur) Appareil convertissant des éléments binaires en signaux de transmission et vice versa et permettant aux ordinateurs de communiquer par ligne téléphonique ou par câble.

mpeg (*moving pictures expert group*) Normes pour la compression et la diffusion numérique audio et vidéo, surtout pour les images animées.

monétique (monnaie électronique, *e-cash*) Système remplaçant la monnaie et les chèques par des moyens informatiques en faisant appel à une carte à mémoire.

mosaic Programme et interface de navigation multimédia dans Internet (complément graphique de WWW). Son haut niveau de structure de l'information facilite la recherche d'un élément particulier. Créé par le *National Center for Supercomputing Agency*.

mot de passe (password) Code privé et secret que l'utilisateur tape lors de la procédure d'accès à un système informatique ou une inforoute.

mud (*multi-user dungeon*) Jeux de rôle multiutilisateur se déroulant dans les donjons d'un château.

multimédia Une famille de techniques mettant en œuvre une convergence médiatique de la voix, des données et de différents types d'images, avec l'interactivité, sur un même support.

multiplexage Technique consistant à regrouper plusieurs signaux différents sur une seule porteuse.

N

navigation (*browsing, navigation aids, software agents, personal agents, interactive dialogue*) Dans une base de données, méthode de recherche qui permet de localiser les informations désirées en passant d'une donnée à une autre, le plus souvent d'une image-écran à une autre. C'est un processus de branchement intellectuel lié au modèle de représentation de la connaissance de l'utilisateur.

néthique (*netiquette*, contraction de *etiquette* et *internet* ou *net*) Ensemble de règles, de conventions de bienséance et d'attitudes régissant le comportement des utilisateurs d'Internet.

netscape. Voir **mosaic**.

network computer (low cost Internet box, nc, web pc, webputer, hollow computer, terminal à tête creuse, architecture pippin) Terminal peu coûteux (250-500$) utilisant la puissance et la mémoire d'un serveur sur Internet ou intranet grâce à la réception de miniprogrammes (écrit en Java, Kona, VisualBasic, etc.)

nœud (*node*) Ordinateur situé dans un réseau et prenant part aux transferts des informations d'une branche à une autre.

nouvelles technologies d'information et de communication (ntic, nti, *new media, digital revolution, home entertainment and information services, two-way services, personal communication services, pcs, publishing and information services, two-way media, netputing*) Intégration des technologies informatiques, de télécommunications et audiovisuelles, facilitant la présentation de contenus sous la forme d'images-écran multimédias interactives destinées à des publics d'utilisateurs qui ne possèdent aucune culture informatique. Cette grande variété d'acteurs et d'activités assure la conception, la production, la gestion et la diffusion des informations répondant aux besoins d'une société de l'information en développement.

ntsc (*national television standards committee*) Norme de codage nord-américain pour la diffusion et l'enregistrement des images vidéo.

numérique (*digital*) Capacité qu'ont les systèmes informatiques et télématiques d'exprimer, de traiter et de stocker une information sous la forme d'un nombre dans la base de numérotation 2, donc une suite de bits; c'est le langage commun aux systèmes, sorte d'«esperanto» des machines à communiquer.

numérisation Processus de conversion d'un signal en code binaire (série de zéro et un).

O

ordinateur-portefeuille (PC-portefeuille, *wallet PC*) Appareil informatique tenant dans la main ou dans la poche, permettant de communiquer par voie hertzienne avec de nombreux autres appareils de façon personnalisée. Concept popularisé par Bill Gates.

P

page d'accueil (page de bienvenue, *home page*) Première page qui apparaît sur l'écran lorsqu'on accède à un service ou à une application www en ligne.

pal/secam Deux standards de télévision européens:

> ⋙ Pal (*phase alternate line*) est un standard allemand: 625 lignes, il diffuse 50 demi-images par seconde.
> ⋙ Secam (séquence de couleurs avec mémoire) est un standard français: 625 lignes, il diffuse 25 images par seconde.

paquet de données (*data packet*) Ensemble de données constituant une partie du message, comprenant une adresse, organisé selon les normes en vigueur et transmis en un bloc.

passerelle (*gateways, bridge,* bretelles d'accès) Logiciels permettant de traduire des données entre deux réseaux.

pay per bits (paiement à la donnée) Service de télévision au paiement selon la quantité des données reçues, donc à la durée.

pay per view (paiement à l'émission, *pay per listen*) Service de télévision à la carte payé sur la base des programmes regardés.

pc (*personnal computer*) Famille de micro-ordinateurs proposée par IBM à partir de 1981.

pcmcia (*personnal computer memory card international association, pc card*) Norme pour les cartes à mémoire (format carte de crédit).

pdf (*portable document format*) Format reproduisant et transmettant en réseau une publication telle quelle peu importe le logiciel de mise en page utilisé au départ.

pgp (*pretty good privacy*) Logiciel de cryptage assurant la confidentialité de la communication.

pict (de *picture format*) Format de fichier graphique (sur Macintosh).

pine Programme simplifiant l'utilisation du courrier électronique sur Internet.

plurimédia Médiatisation d'un contenu devant être diffusé simultanément sur plusieurs supports médiatiques (une sortie à la fois imprimée, sur CD-ROM ou en réseau, par exemple).

pointcasting (diffusion personnalisée) Adressage d'un service vers un client déterminé.

point d'écran (*pixel, picture element*) La plus petite unité d'une image-écran que le concepteur médiatique peut contrôler; cette unité sert à exprimer la définition de l'écran.

prodigy Prestataire de services commerciaux en ligne sur Internet (filiale d'IBM et Sears).

produits dérivés (*spin-off products*) Produits dérivés de l'original (celui-ci étant un livre, un vidéo ou un film) et dont la vente rapporte autant, sinon plus, que le produit original (parc thématique, T-shirts, affiches, jouets, aliments, CD-ROM, musique de film, par exemple).

propriété intellectuelle Droit d'auteur ou brevet protégeant les produits de la pensée: idées nouvelles, inventions, écrits, films, etc.

R

radiodiffusion Toute transmission de contenus par télécommunication.

réalité virtuelle (*virtual reality* ou *vr*) Technique qui permet de développer des environnements fictifs proches de la réalité, reposant sur le concept de l'immersion à la fois physique et psychologique. La notion de réalité virtuelle est subjective, la notion même d'objet ayant disparu, seule subsiste la perception de l'individu.

L'environnement simulé est créé par des systèmes de télécommunication et informatiques; c'est un univers de synthèse permettant à l'utilisateur de saisir et de modifier des formes et d'agir sur l'environnement. Plus l'ordinateur est puissant, plus l'image sera réaliste.

reconnaissance de l'écriture manuelle (*handwriting recognition*) Capacité que possède un système de reconnaître l'écriture manuelle d'un utilisateur.

reconnaissance de la voix (interface vocale, *voice recognition*) Capacité que possède un système de comprendre et de répondre à une commande vocale d'un utilisateur. À terme, cette technique devrait permettre à l'utilisateur néophyte de se dispenser du clavier.

réseau commuté Réseau permettant des liaisons temporaires directes entre usagers.

rnis (*isdn, integrated services digital network,* réseau numérique à intégration de services, numéris en France) Normes permettant de transmettre la voix, les données et les images à partir d'un même support doté d'une bande passante de 128 kbs.

réseau local d'entreprise (*lan*) Ensemble d'ordinateurs situés à proximité les uns des autres et connectés par un lien de communication.

S

satellite   Objet permettant de transférer des signaux électroniques et hertziens autour de la planète.

satellite de radiodiffusion en direct (étoile de la mort, *death star*)   Satellite à grande puissance transmettant des signaux de télévision à des antennes.

satellite géostationnaire   Satellite toujours au-dessus d'un point fixe sur la terre.

serveur (*server, host*, hôte)   Ordinateur fournissant des informations à la demande et accessible par une inforoute.

services de base (*universal services*)   Le minimum de services garantis à l'utilisateur.

set (secure electronic transaction)   Standard pour le paiement par carte de crédit.

sgml (*standard generalized markup language*)   Norme pour la médiatisation de texte décrivant la structure logique d'un document indépendamment de sa présentation (ses apparences, ses règles d'édition et d'impression, etc.).

shareware (partagiciels)   Logiciels semi-gratuits (souvent accessibles par les inforoutes).

signet (*bookmark*)   Marque permettant de conserver en mémoire la référence à un document que l'utilisateur juge intéressant.

simulation   Une expérience informatique.

société de l'information (société de l'imagination, société du savoir)   Société de l'immatériel où l'information, la connaissance et le savoir sont véhiculés par des bits électroniques devenant la base économique de cette société. Elle devrait donner à chaque citoyen la possibilité d'avoir accès à une créativité intellectuelle et à une productivité de haut niveau grâce au traitement numérique de l'information et à une éducation adaptée.

spectre   Gamme des fréquences électromagnétiques qui peuvent franchir l'espace sans le support d'une connexion matérielle.

surcharge informationnelle (infopollution, *information overload, infobug*)   Quantité trop grande d'informations, qui ne peuvent être traitées faute de temps ou de compétence.

surfer (*surf*)   Partir à la découverte d'informations sur Internet.

système expert   Système permettant de réagir comme un expert et de prendre les décisions adéquates.

T

tcp/ip (*transmission control protocol* et *Internet proto-col*) Deux protocoles qui transportent des données sous forme de paquets portant l'adresse d'un expéditeur et celle d'un ou de plusieurs destinaires.

technologie de l'information Ensemble de l'équipement utilisé pour créer, produire, gérer et diffuser des données. Cela inclut ce qui a trait aux télécommunications, à l'audiovisuel et aux systèmes informatiques et concerne le contenant et la manipulation du contenu grâce aux logiciels et aux programmes, mais exclut le contenu.

télécommunication Toute transmission, émission ou réception de signes, de signaux, d'écrits ou d'images, de sons ou de renseignements de toute nature, par fil, radio électricité, optique ou autres systèmes électromécaniques.

télématique *(compunication, telematics)* Ensemble des théories et des technologies permettant la réalisation de systèmes offrant à différents types de publics utilisateurs un accès transparent et interactif à des moyens et des services informatiques intégrés. Elle met en œuvre à la fois l'informatique, les télécommunications et l'interactivité.

téléphone intelligent (intelliphone, *smartphone*) Services téléphoniques de deuxième génération.

téléshopping (télé-achat, *home shopping, videoshopping*) Ensemble de manières et de techniques pour acheter à partir de chez soi.

telnet Programme permettant d'ouvrir une session en tant qu'utilisateur d'un ordinateur distant; il offre un accès direct à toute une gamme de services Internet.

téléport Complexe «intelligent» desservi par un centre de communication très évolué. Il offre une capacité d'accès à des liaisons satellites ou tout autre médium de télécommunication interurbain, associé à un réseau de distribution desservant une zone régionale importante.

***Teleputer* (ordiviseur)** Futur appareil résidentiel combinant un micro, un modem, un téléviseur et une console pour des transactions interactives.

télétex Service de communication de textes.

télétravail en groupe (*groupware, cooperative work, computer-supported cooperative work,* cscw, synergiciel, collectif) Service intégré et collectif, grâce à la gérance des flux d'informations entre les membres d'un même groupe de travail;

mode de travail privilégiant les relations entre les membres d'un goupe reliés par un réseau leur permettant de réaliser un objectif commun.

télévision à la carte (télévision à péage, *pay tv***)**   Technique permettant de choisir les émissions de télévision que l'on veut regarder moyennant un prix déterminé; celles-ci ne peuvent être regardées qu'après l'acquittement d'un abonnement.

télévision haute définition (tvhd)   La TVHD est définie par trois caractéristiques: le format de rapport 16:9 qui s'apparente à un écran de cinéma, plusieurs canaux numériques pour le son, et une définition doublée de l'image, grâce à la technologie numérique.

télévision interactive (*interactive tv, itv,* **tvi)**   Technique de communication permettant à un utilisateur de télécommander des contenus via un boîtier-compteur et un téléviseur.

temps réel   Processus informatique qui s'effectue immédiatement; condition nécessaire aux applications interactives.

tiff (*tagged image file format***)**   Format d'enregistrement d'images de haute densité compatible avec divers environnements.

traitement de l'information   *En informatique:* traitement électronique des données à l'aide d'un langage de programmation. *En linguistique:* traitement sémantique du contenu.

T1 et T3   Liaisons à haut débit: à 1,5 Mbits et à 45 Mbits.

U

unix   Système d'exploitation multitâche et multiposte utilisé par les premiers ordinateurs raccordés à Internet.

usenet (conférence sur Usenet)   Forum mondial de questions et de réponses qu'utilisent les groupes communautaires de discussion (*News*). Il permet à son utilisateur de dialoguer avec un grand nombre de personnes partageant les mêmes centres d'intérêts.

V

veronica (*very easy rodent-oriented net-wide index to computerized archives***)**   Programme de recherche explorant Internet à partir d'un menu Gopher et permettant des recherches par mots clés de ces titres.

vidéo à la demande (film à la demande, *video and film on demand***)**   Service permettant au consommateur de louer à distance des programmes à partir d'un catalogue.

vidéodisque Disque ROM stockant 74 minutes de vidéo sous forme numérique.

vidéotex Service d'information interactif utilisant un clavier, un écran et un réseau.

vidéoconférence (visioconférence) Système de réunion à distance dans lequel on voit et on entend son ou ses interlocuteurs, et permettant d'échanger des images vidéo, des textes et des sons.

visiophone Téléphone à images permettant de visualiser son correspondant.

vt-100 et vt-200 Mode d'émulation de terminaux.

v21 à v32 Normes pour les modems (CCITT).

W

wais (*wide area information server*) Programme de recherche répertoriant le contenu de documents sous forme d'index et permettant d'effectuer des recherches plein texte à l'aide de mots clés.

wan (*wide area network*) Réseau intégrant des ordinateurs implantés dans des lieux géographiques distants.

windows, windows nt, windows 95 Interface graphiques (développée par Microsoft).

www (*world wide web, 3w, w3*) Logiciel de navigation de balayage aidant les utilisateurs à s'orienter dans Internet. Il repose sur trois idées: la navigation par hypertexte, le support multimédia et l'intégration des services préexistants. C'est un sous-ensemble de l'Internet. On consulte les pages web comme on consulte un immense dictionnaire indexé. Développé au Conseil européen de recherche nucléaire, ou CERN, à Genève.

X

xmodem, ymodem, zmodem Protocoles de transfert de fichiers par bloc de données.

x25, x400 Normes de raccordement des ordinateurs à des réseaux (UIT).

Z

zapping Sélection d'une chaîne à l'autre à l'aide de la télécommande du poste TV.

3do Consoles de jeux.

Table
des matières